ボッコちゃん

悪魔

その湖は、北の国にあった。広さはそれほどでもないが、たいへん深かった。しかし、いまは冬で、厚く氷がはっていた。

エス氏は休日を楽しむため、ここへやってきた。そして、湖の氷に小さな丸い穴をあけた。そこから糸をたらして、魚を釣《つ》ろうというのだった。だが、なかなか魚がかからない。

「面白くないな。なんでもいいから、ひっかかってくれ」

こうつぶやいて、どんどん釣糸をおろしていると、なにか手ごたえがあった。

「しかし、魚では、ないようだ。なんだろう」

引っぱりあげてみると、古いツボのようなものが、針にひっかかっていた。

「こんなものでは、しようがないな。捨てるのもしゃくだが、古道具屋へ持っていっても、そう高くは買ってくれないだろう。ひとつ、なかを調べてみるとするか」

なにげなくフタを取ると、黒っぽい煙が立ちのぼった。あわてて目を閉じ、やがて少しずつ目をあけると、ツボのそばに、みなれぬ相手が立っている。色の黒い小さな男で、耳がとがっていて、しっぽがあった。

「いったい、なにものだ」

エス氏がふしぎそうに聞くと、相手は、にやにや笑ったような顔で答えた。

「わたしは悪魔」

「なるほど。本の絵にある悪魔も、そんなかっこうをしていたようだ。しかし、本当にいるとは思わなかった」

「信じたくない人は、信じないでいればいい。だが、わたしは、ちゃんとここにいる」

エス氏は何度も目をこすり、気持ちを落ち着け、おそるおそる質問した。

「なんで、こんなところに現われたのです」

「そのツボにはいり、湖の底で眠っていたのだ。そこを引っぱりあげられ、おまえに起こされたというわけだ。さて、久しぶりに、なにかするとしようか」

「どんなことができるのです」

「なんでもできる。なにをやってみせようか」

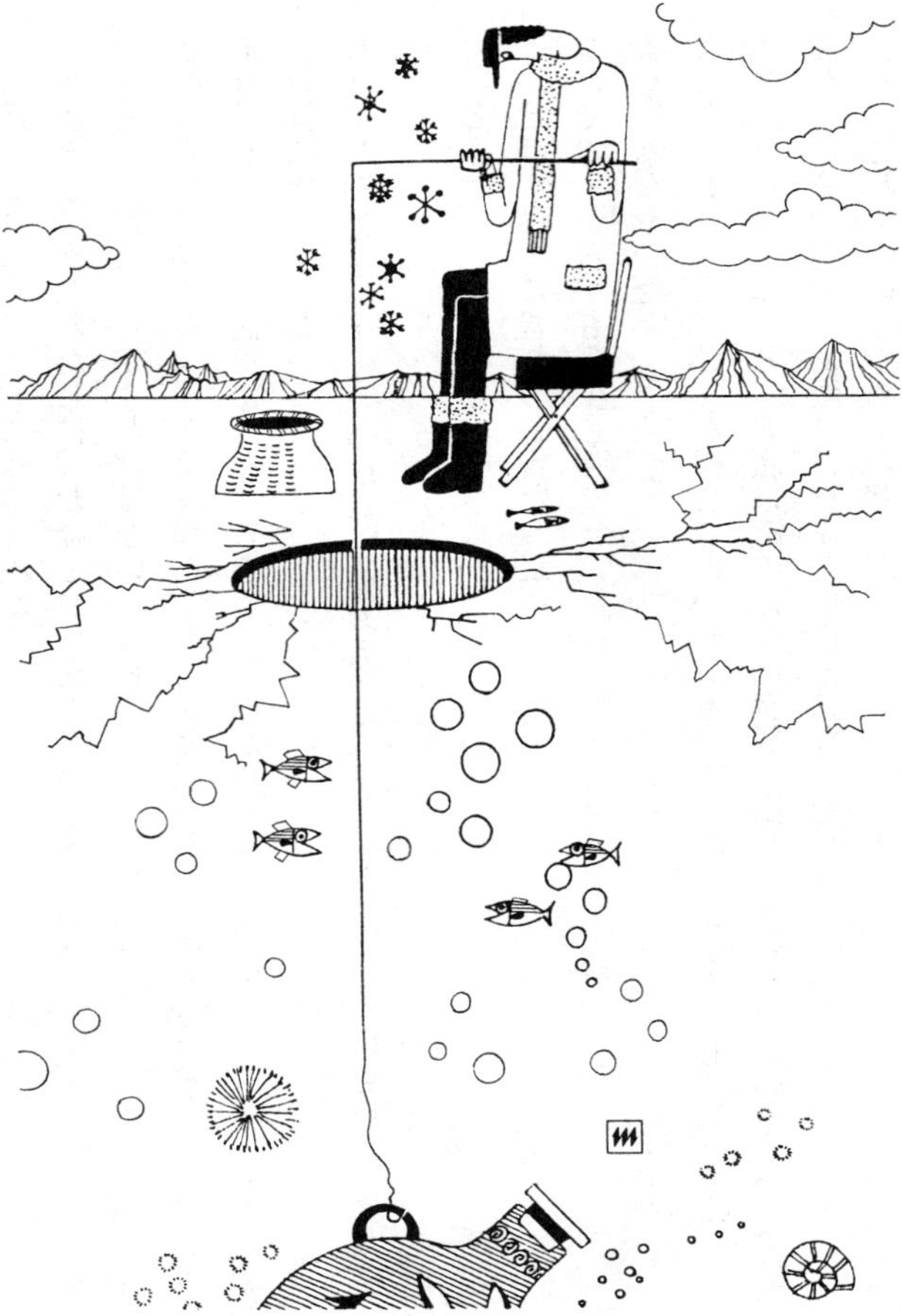

エス氏はしばらく考え、こう申し出た。

「いかがでしょう。わたしに、お金をお与え下さいませんか」

「なんだ。そんなことか。わけはない。ほら」

悪魔は氷の穴に、ちょっと手をつっこんだかと思うと、一枚の金貨をさし出した。あっけないほど、簡単だった。首をかしげながら、エス氏が手にとってみると、本物の金貨にまちがいない。

「ありがとうございます。すばらしいお力です。もっと、いただけませんでしょうか」

「いいとも」

こんどは、ひとにぎりの金貨だった。

「ついでですから、もう少し」

「よくばりなやつだ」

「なんといわれても、こんな機会をのがせるものではありません。お願いです」

エス氏は何回もねだり、悪魔はそのたびに金貨を出してくれた。そのうち、つみあげられた金貨の光で、あたりはまぶしいほどになった。

「まあ、これぐらいでやめたらどうだ」

と悪魔は言ったが、エス氏は熱心にたのんだ。こんなうまい話には、二度とお目にかかれないだろうと考えたからだ。

「そうおっしゃらずに、もう少し。こんど一回でけっこうです。お願い。ですから、あと一回だけ」

悪魔はうなずき、また金貨をつかみ出し、そばに置いた。

その時。ぶきみな音が響きはじめた。金貨の重みで、氷にひびがはいりはじめたのだ。そうと気づいて、エス氏は大急ぎで岸へとかけだした。

やっとたどりつき、ほっとしてふりかえってみると、氷は大きな音をたてて割れ、金貨もツボも、かん高い笑い声をあげている悪魔も、みな湖の底へと消えていった。

ボッコちゃん

そのロボットは、うまくできていた。女のロボットだった。人工的なものだから、いくらでも美人につくれた。あらゆる美人の要素をとり入れたので、完全な美人ができあがった。もっとも、少しつんとしていた。だが、つんとしていることは、美人の条件なのだった。

ほかにはロボットを作ろうなんて、だれも考えなかった。人間と同じに働くロボットを作るのは、むだな話だ。そんなものを作る費用があれば、もっと能率のいい機械ができたし、やとわれたがっている人間は、いくらもいたのだから。

それは道楽で作られた。作ったのは、バーのマスターだった。バーのマスターというものは、家に帰れば酒など飲む気にならない。彼にとっては、酒なんかは商売道具で、自分で飲むものとは思えなかった。金は酔っぱらいたちがもうけさせてくれるし、時間もあるし、それでロボットを作ったのだ。まったくの趣味だった。

趣味だったからこそ、精巧な美人ができたのだ。本物そっくりの肌ざわりで、見わけがつかなかった。むしろ、見たところでは、そのへんの本物以上にちがいない。しかし、頭はからっぽに近かった。彼もそこまでは、手がまわらない。簡単なうけ答えができるだけだし、動作のほうも、酒を飲むことだけだった。

彼は、それが出来あがると、バーにおいた。そのバーにはテーブルの席もあったけれど、ロボットはカウンターのなかにおかれた。ぼろを出しては困るからだった。

お客は新しい女の子が入ったので、いちおう声をかけた。名前と年齢を聞かれた時だけはちゃんと答えたが、あとはだめだった。それでも、ロボットと気がつくものはいなかった。

「名前は」

「ボッコちゃん」

「としは」

「まだ若いのよ」

「いくつなんだい」

「まだ若いのよ」

「だからさ……」

「まだ若いのよ」

この店のお客は上品なのが多いので、だれも、これ以上は聞かなかった。

「きれいな服だね」

「きれいな服でしょ」

「なにが好きなんだい」

「なにが好きかしら」

「ジンフィーズ飲むかい」

「ジンフィーズ飲むわ」

酒はいくらでも飲んだ。そのうえ、酔わなかった。

美人で若くて、つんとしていて、答えがそっけない。お客は聞き伝えてこの店に集った。ボッコちゃんを相手に話をし、酒を飲み、ボッコちゃんにも飲ませた。

「お客のなかで、だれが好きだい」

「だれが好きかしら」

「ぼくを好きかい」

「あなたが好きだわ」

「こんど映画へでも行こう」

「映画へでも行きましょうか」

「いつにしよう」

答えられない時には信号が伝わって、マスターがとんでくる。

「お客さん、あんまりからかっちゃあ、いけませんよ」

と言えば、たいていつじつまがあって、お客はにが笑いして話をやめる。

マスターは時どきしゃがんで、足の方のプラスチック管から酒を回収し、お客に飲ませた。

だが、お客は気がつかなかった。若いのにしっかりした子だ。べたべたおせじを言わないし、飲んでも乱れない。そんなわけで、ますます人気が出て、立ち寄る者がふえていった。

そのなかに、ひとりの青年がいた。ボッコちゃんに熱をあげ、通いつめていたが、いつも、もう少しという感じで、恋心はかえって高まっていった。そのため、勘定がたまって支払いに困り、とうとう家の金を持ち出そうとして、父親にこっぴどく怒られてしまったのだ。

「もう二度と行くな。この金で払ってこい。だが、これで終りだぞ」

彼は、その支払いにバーに来た。今晩で終りと思って、自分でも飲んだし、お別れのしるしといって、ボッコちゃんにもたくさん飲ませた。

「もう来られないんだ」

「もう来られないの」

「悲しいかい」

「悲しいわ」

「本当はそうじゃないんだろう」

「本当はそうじゃないの」

「きみぐらい冷たい人はいないね」

「あたしぐらい冷たい人はいないの」

「殺してやろうか」

「殺してちょうだい」

彼はポケットから薬の包みを出して、グラスに入れ、ボッコちゃんの前に押しやった。

「飲むかい」

「飲むわ」

彼の見つめている前で、ボッコちゃんは飲んだ。

彼は「勝手に死んだらいいさ」と言い、「勝手に死ぬわ」の声を背に、マスターに金を渡して、そとに出た。夜はふけていた。

マスターは青年がドアから出ると、残ったお客に声をかけた。

「これから、わたしがおごりますから、みなさん大いに飲んで下さい」

おごりますといっても、プラスチックの管から出した酒を飲ませるお客が、もう来そうもないからだった。

「わーい」

「いいぞ、いいぞ」

お客も店の子も、乾杯しあった。マスターもカウンターのなかで、グラスをちょっと上げてほした。


その夜、バーはおそくまで灯《ひ》がついていた。ラジオは音楽を流しつづけていた。しかし、だれひとり帰りもしないのに、人声だけは絶えていた。

そのうち、ラジオも「おやすみなさい」と言って、音を出すのをやめた。ボッコちゃんは「おやすみなさい」とつぶやいて、つぎはだれが話しかけてくるかしらと、つんとした顔で待っていた。

おーいでてこーい

台風が去って、すばらしい青空になった。

都会からあまりはなれていないある村でも、被害があった。村はずれの山に近い所にある小さな社《やしろ》が、がけくずれで流されたのだ。

朝になってそれを知った村人たちは、

「あの社は、いつからあったのだろう」

「なにしろ、ずいぶん昔からあったらしいね」

「さっそく建てなおさなくては、ならないな」

と言いかわしながら、何人かがやってきた。

「ひどくやられたものだ」

「このへんだったかな」

「いや、もう少しあっちだったようだ」

その時、一人が声を高めた。

「おい、この穴は、いったいなんだい」

みんなが集ってきたところには、直径一メートルぐらいの穴があった。のぞき込んでみたが、なかは暗くてなにも見えない。なにか、地球の中心までつき抜けているように深い感じがした。

「キツネの穴かな」

そんなことを言った者もあった。

「おーい、でてこーい」

若者は穴にむかって叫んでみたが、底からはなんの反響もなかった。彼はつぎに、そばの石ころを拾って投げこもうとした。

「ばちが当るかもしれないから、やめとけよ」

と老人がとめたが、彼は勢いよく石を投げこんだ。だが、底からはやはり反響がなかった。村人たちは、木を切って縄《なわ》でむすんで柵《さく》をつくり、穴のまわりを囲った。そして、ひとまず村にひきあげた。

「どうしたもんだろう」

「穴の上に、もとのように社を建てようじゃないか」

相談がきまらないまま、一日たった。早くも聞きつたえて、新聞社の自動車がかけつけた。まもなく、学者がやってきた。そして、おれにわからないことはない、といった顔つきで穴の方にむかった。

つづいて、もの好きなやじうまたちが現われ、目のきょろきょろした利権屋みたいなものも、ちらほらみうけられた。駐在所の巡査は、穴に落ちる者があるといけないので、つきっきりで番をした。

新聞記者の一人は、長いひもの先におもりをつけて穴にたらした。ひもは、いくらでも下っていった。しかし、ひもがつきたので戻そうとしたが、あがらなかった。二、三人が手伝って無理に引っぱったら、ひもは穴のふちでちぎれた。

写真機を片手にそれを見ていた記者の一人は、腰にまきつけていた丈夫な綱を、黙ってほどいた。

学者は研究所に連絡して、高性能の拡声器を持ってこさせた。底からの反響を調べようとしたのだ。音をいろいろ変えてみたが、反響はなかった。学者は首をかしげたが、みんなが見つめているので、やめるわけにいかない。

拡声器を穴にぴったりつけ、音量を最大にして、長いあいだ鳴らしつづけた。地上なら、何十キロと遠くまで達する音だ。だが、穴は平然と音をのみこんだ。

学者も内心は弱ったが、落ち着いたそぶりで音をとめ、もっともらしい口調で言った。

「埋めてしまいなさい」

わからないことは、なくしてしまうのが無難だった。

見物人たちは、なんだこれでおしまいかといった顔つきで、引きあげようとした。その時、人垣《ひとがき》をかきわけて前に出た利権屋の一人が、申し出た。

「その穴を、わたしにください。埋めてあげます」

村長はそれに答えた。

「埋めていただくのはありがたいが、穴をあげるわけにはいかない。そこに、社を建てなくてはならないんだから」

「社なら、あとでわたしがもっと立派なのを、建ててあげます。集会場つきにしましょうか」

村長が答えるさきに、村の者たちが、

「本当かい。それならもっと村の近くがいい」

「穴のひとつぐらい、あげますよ」

と口々に叫んだので、きまってしまった。もっとも、村長だって、異議はなかった。その利権屋の約束は、でたらめではなかった。小さいけれど集会場つきの社を、もっと村の近くに建ててくれた。

新しい社で秋祭りの行われたころ、利権屋の設立した穴埋め会社も、穴のそばの小屋で小さな看板をかかげた。

利権屋は、仲間を都会で猛運動させた。すばらしく深い穴がありますよ。学者たちも、少なくとも五千メートルはあると言っています。原子炉のカスなんか捨てるのに、絶好でしょう。

官庁は、許可を与えた。原子力発電会社は、争って契約した。村人たちはちょっと心配したが、数千年は絶対に地上に害は出ないと説明され、また、利益の配分をもらうことで、なっとくした。しかも、まもなく都会から村まで、立派な道路が作られたのだ。

トラックは道路を走り、鉛の箱を運んできた。穴の上でふたはあけられ、原子炉のカスは穴のなかに落ちていった。

外務省や防衛庁から、不要になった機密書類箱を捨てにきた。監督についてきた役人たちは、ゴルフのことを話しあっていた。作業員たちは、指示に従って書類を投げこみながら、パチンコの話をしていた。

穴は、いっぱいになるけはいを示さなかった。よっぽど深いのか、それとも、底の方でひろがっているのかもしれないと思われた。穴埋め会社は、少しずつ事業を拡張した。

大学で伝染病の実験に使われた動物の死体も運ばれてきたし、引き取り手のない浮浪者の死体もくわわった。海に捨てるよりいいと、都会の汚物を長いパイプで穴まで導く計画も立った。

穴は都会の住民たちに、安心感を与えた。つぎつぎと生産することばかりに熱心で、あとしまつに頭を使うのは、だれもがいやがっていたのだ。この問題も、穴によって、少しずつ解決していくだろうと思われた。

婚約のきまった女の子は、古い日記を穴に捨てた。かつての恋人ととった写真を穴に捨てて、新しい恋愛をはじめる人もいた。警察は、押収した巧妙なにせ札を穴でしまつして安心した。犯罪者たちは、証拠物件を穴に投げ込んでほっとした。

穴は、捨てたいものは、なんでも引き受けてくれた。穴は、都会の汚れを洗い流してくれ、海や空が以前にくらべて、いくらか澄んできたように見えた。

その空をめざして、新しいビルが、つぎつぎと作られていった。

ある日、建築中のビルの高い鉄骨の上でひと仕事を終えた作業員が、ひと休みして

いた。彼は頭の上で、

「おーい、でてこーい」

と叫ぶ声を聞いた。しかし、見上げた空には、なにもなかった。青空がひろがっているだけだった。彼は、気のせいかな、と思った。そして、もとの姿勢にもどった時、声のした方角から、小さな石ころが彼をかすめて落ちていった。

しかし彼は、ますます美しくなってゆく都会のスカイラインをぼんやり眺めていたので、それには気がつかなかった。

殺し屋ですのよ

ある別荘地の朝。林のなかの小道を、エヌ氏はひとりで散歩していた。彼は大きな会社の経営者だが、週末はいつも、この地でくつろぐことにしているのだ。すがすがしい空気、静かななかでの小鳥たちの声……。

その時、木かげから若い女が現われた。明るい服装に明るい化粧。そして、にこやかに声をかけてきた。

「こんにちは」

エヌ氏は足をとめ、とまどって聞いた。

「どなたでしたかな。失礼ですが、思い出せません」

「むりもありませんわ。はじめてお会いするのですから。じつは、ちょっとお願いが……」

「しかし、あなたは、どなたなのですか」

「それを申しあげると、お驚きになるでしょうけど……」

「いや、めったなことでは、驚きませんよ」

「殺し屋ですのよ」

女は簡潔に答えた。しかし、見たところ、虫も殺せそうにない。エヌ氏は笑いながら、

「まさか……」

「冗談でしたら、なにもわざわざ、こんな場所でお待ちしませんわ」

女は、まじめな口調と表情だった。それに気がつくと、エヌ氏は不意にさむけのようなものを感じ、青ざめながら口走った。

「さては、あいつのしわざだな。だが、こんな卑劣な手段に訴えるとは、思わなかった。ま、まってくれ。たのむ。殺さないでくれ」

哀願をくりかえすと、女はこう言った。

「誤解なさらないで、いただきたいわ。殺しに来たのでは、ございませんのよ」

「はて、どういうことだ。殺し屋がわたしを待ち伏せていた。しかし、殺すのが目的ではないと言う。殺し屋なら、殺すのが商売のはずだ」

「そう早合点なさっては、困りますわ。注文をいただきにうかがう場合だって、ありますのよ。いまはそれですの。どうかしら、ご用命いただけないかしら」

事態がいくらかのみこめて、エヌ氏はほっとした。

「そうだったのか。すっかり驚いてしまった。しかし、いまのところ、用はない」

「おかくしになることは、ありませんわ。さっき、さてはあいつか、とおっしゃいました。あいつとは、G産業の社長のことでございましょう」

「ああ、G産業にとって、わが社は最大の商売がたきだ。競争に勝つには、非常手段をとりたくもなるだろう、と考えたわけだ。ということは、わが社にとっても、G産業は最大の商売がたき。ここでの話だが、正直なところ、わたしとしても、彼が死んでくれればいい、と思わないでもない」

女は目を輝かせて、身を乗り出した。

「そのお仕事を、やってあげましょうか」

「それは耳よりな話だが……」

「お引き受けしたからには、手ぬかりひとつなく、完全にやりとげてごらんに入れますわ」

エヌ氏は、女を眺めなおした。だが、そんな仕事がやれそうには見えない。また、冷酷な子分を配下にそろえていそうにも見えない。彼はしばらく考えてから言った。

「せっかくだが、お断わりしよう。あなたを全面的に信用しようにも、それだけの根拠がないではないか。万一、やりそこなってつかまり、わたしが依頼したということが表ざたになったら、わたしまでが破滅だ。そんな危険をおかしてまで、彼を殺す気はない」

「ごもっともですわ。だけど、小説やテレビだけの知識で、殺し屋を想像なさらないように。銃や毒薬を使ったり、自動車事故をよそおうといった、ありふれた発覚しやすい方法を使うのでは、ありませんもの」

「というと、どんな殺し方をするのだ」

「決して不審をいだかれない死、病死をさせるのですから」

エヌ氏は顔をしかめ、にが笑いをした。

「冗談じゃない。そんな方法など、ありえない。第一、どうやって病気にさせるのだ」

「呪《のろ》い殺す、とでもしておきましょうか」

「ますますひどい。失礼だが、正気なのですか。病院でみてもらったらいかがです」

からかうようなエヌ氏の視線を感じないかのように、女は話を進めた。

「呪い殺すという言葉が古いのでしたら、こう言いかえてもけっこうですわ。巧妙な手段で、相手の周囲のストレスを高め、心臓を衰弱させて死に至らしめる。現代の医学の定説によりますと、ストレスとは……」

「こんどは、急にむずかしい話になった。要するに、彼を自然死させるというのだな。しかし、まだどうも信用しかねる。そううまくいくとは……」

エヌ氏は腕を組み、首をかしげた。女はその内心を察してか、

「うまい話を持ちかけ、お金だけ受取って、そのまま。こんな点を、ご心配なのでしょうね。だけど、ご安心いただきたいわ。すんでからの成功報酬で、けっこうですの。手付金など、いりませんわ」

「しかし……」

「期限もお約束いたしますわ。三カ月以内と申しあげたいところなんですけど、余裕をとって六カ月待っていただけば、確実にやりとげてさしあげます」

「いやに自信があるのだな。しかし、こんな時にはどうするのです。成功はした、それなのに、わたしが報酬を払わない。困るでしょう」

「きっと、お支払い下さいますわ。あたしの手腕を、ごらんになれば」

「そういうものかな。それなら、まあ、やってみてくれ。成功すれば、お礼は払う。成功しなくても、もともとだ。たとえ、やりそこなって発覚しても、わたしが巻きぞえになるような証拠も、残らないようだ」

エヌ氏は慎重に考えながら、ついにうなずいた。

「では、楽しみにお待ちになって下さい」

女は急ぎ足で帰っていった。それを見送りながら、エヌ氏は半信半疑でつぶやいた。

「妙な人間もいるものだな。本当にそんなことが出来るのだろうか。手付金なしだから、べつに損もしなかったが」

しかし、そんなことも忘れ、四カ月ばかりたった時、エヌ氏は、ニュースに接した。問題のG産業の社長が、病院での手当てのかいもなく、心臓疾患で死んだのだ。そして、警察が不審を持って調べはじめたという動きもなく、無事に葬儀も終った。

その数日後、エヌ氏が別荘での朝の散歩をしていると、林の道でまた、いつかの女が待っていた。こんどは、エヌ氏のほうが、先に声をかけた。

「こんなにすばらしい手腕とは、思わなかった。おかげで、わが社もG産業を圧倒できそうだ。しかし、まだ信じられないほどだ」

「お約束した通りでしょう。では、報酬をお願いしますわ」

もし払いたくないと断わったら、こっちが対象にされるかもしれない。

「わかっている。払うよ」

「ありがとうございます」

女は金を受取り、エヌ氏と別れた。そして町へ。彼女は、あとをつけられないようにとだけ注意した。素性がわかっては、困るのだ。

家へ帰り、服装も髪型も化粧も、ずっと地味なものに変える。それから出勤し、仕事のための白衣に着かえれば、立派な看護婦だ。事実、医師たちの信用も厚い。だから、彼女のたいていの質問に、医師は答えてくれる。

「先生、いま帰られたかたですけど、病状はどうなんですの」

「良くない。正直なところ五カ月かな。長くても八カ月はもたないだろう。しかし、こんなことは、決して本人や家族の者に言うなよ。ショックを与えることになる」

「もちろん、わかっておりますわ……」

彼女だって、本人や家族に告げるつもりはない。もっとも、カルテで住所を調べ、職業を調べ、その人にうらみを持っている人や、商売がたきには……。

来訪者

青空のなかから突然あらわれた円盤状の物体は、日光をうけて銀色に輝きながら、ゆっくりと郊外の原っぱに着陸した。

「大変だ。ほかの星からだ」

「早く警察へ知らせろ。いや、軍隊だ。それとも外務省、いや、天文台かな」

群衆がそれを遠まきにして混乱を起しているうちに、物体はふたたび静かに離陸し上昇し、空のかなた、どこへともなく去っていった。

「あ、いってしまった。なんだ、これで終りか」

しかし、終りではなく、これがさわぎのはじまりだった。飛び去ったあとに、残されたものがあったのだ。

「みろ、あいつはだれだ」

と、みなが指さすところに、金色のスマートな服をつけた人物がひとり、立っていた。

「いまの物体でやって来た、どこかの惑星のやつにちがいない」

「なにしに来たのだろうか」

だれもが、頭に浮かんだ不安を、まっさきに口に出した。

「もしや、地球に対する侵略の前ぶれでは……」

人類は長いあいだ、おたがいに侵略しあってすごしてきたので、異邦人を見たら侵略者と思えという意識が、しみついていた。

「しかし、たったひとりでか」

「あんなすばらしい飛行物体を作り、操ってきたやつだ。科学力さえあれば、ひとりで充分なのだろう。恐ろしいことが起るぞ」

不安と恐怖がみなぎっている時に、やっと、最新式の装備をもった軍隊が到着した。

「市民のみなさんは、退避して下さい。あなたがたの安全をまもるのが、われわれの義務です」

胸のすくような統制のもとに、防毒・対放射能服に身を固めた若い兵士たちが、きびきび活動した。レーダーで照準がつけられ、火炎放射器、ミサイルのねらいが集中した。あとは、攻撃の命令を待つばかり。しかし、その命令はなかなかこなかった。上層部での決定が、長びいていたのだ。

「早く、不安のもとをとり除こう。不法侵入をやっつけるのに、遠慮はいらぬ」と積極論。

「いや、平和の使節だろう。攻撃は中止して、包囲をとこう」と平和論。

「両方の説にも一理あるが、ここは慎重を期さねばならぬ。あれが巧みなワナで、あいつをやっつけると、それをきっかけに、大挙して押しよせてくるかもしれない。よくある手だ。挑発に乗ってはいかん。といって、手ばなしで近よるのも危険だ。警戒しながら話しかけてみよう」

この最も地球人的な意見が、大勢を支配した。警戒はとかれなかったが、そのなかを有能な外交官が進みでた。そして、みなの期待のもとに、まず他星人にこう話しかけた。

「わたしの言葉が、おわかりでしょうか」

他星人は、首をたてに動かした。これに勢いをえた外交官は、満面に笑みをたたえて話しかけた。

「この地球へ、ようこそおいで下さいました。おそらく、友好を求めておいでになったことと存じます。それはわたしどもも、望むところ。わが地球も、文明の点ではあなた方に劣ってはおりましょうが、平和と文化を限りなく愛する点では、宇宙のどの星にも劣らないでございましょう。よろしくご交際を。なにかご希望がございましたら、このわたしを通じて。そもそも……」

外交官は男をあげるのはこの時とばかり、そりかえり、汗をふき、にこにこ笑い、突如として頭を下げ、熱意をぶちまけた。

いっぽう理性を保とうともつとめ、かつくどくどとしゃべりつづけ、そして、ついに声がかれた。だが、その時、他星人の首は静かに横にふられ、外交官はすごすごと引きさがった。

「ほれみろ。役人にまかせておいたって、なにができるものか。交際はわれわれ民間の手に、まかせてもらおう」

こう言い出したのは、いままでのようすから、他星人に敵意がなさそうだとすばやく感じとった、経済団体の幹部たち。

「そうだ。あの他星人は、貿易のために来たのにきまっている。どの星の生物だって、生活の向上を願わないはずはないからな」

さっそく、立ちつづけている他星人の前で、自動車のパレードがはじめられた。もちろん、その上にはあらゆる商品が陳列されてあった。

実業家たちは、どの商品がお気に召すかと、緊張をつづけて見まもったが、他星人がうなずくことなくパレードは終り、終ったところで、またも首が横にふられた。いったい、なんのために地球に来たのだろう。人びとの疑問と不安は、さらに深くなった。このような状態こそ、新興宗教の活躍の舞台となる。いままでぶつぶつ言っていた連中が、のりだしてきた。

「だから、われわれがはじめから言っていたではないか。あのかたは、神が地上につかわされた、ありがたい使者なのだ。それをなんだ。対等のつもりになって、やあ仲よくしましょうと、にやにやしたり、ひとつ取引きといこうと、品物を並べたてたり。ばちが当るぞ。恥ずかしくてたまらなかった。いまからでもおそくない。ひれ伏して、罪をわびようではないか」

この意見に対して、反対する根拠はなかった。人類は試行錯誤をくりかえしながら、ここまで発展してきたのだ。なにごともやってみるに限る。

選手は交代し、信者たちは他星人の前にひれ伏し、熱心な長い祈りをささげはじめた。神よ、われら愚かにして、あわれなる人類の罪を許したまえ。救いたまえ。導きたまえ。

しかし、問題の他星人は、しばらくすると無表情な首を横にふった。これを見て、勢いこんだ男が現われた。

「なんだ、この軽率なやつらめ。常識のないのにも、ほどがある。問題は、すなおに考えればいいのだ。遠い国にひとりで行って孤独を感じた時、まず欲しくなるのは、なんだ。だれにでも、すぐわかることだ。セックスにきまっている。ほかの星の連中だって、生物であるからには同じことだ。それを神さまあつかい。満足するわけがない。人をもてなすには、相手の立場に立って考えるのが一番だ。おれにまかせろ」

こう天才的な発言をした男は、どこからかすばらしい肉体を持った美人たちを連れて来た。おそらく、大金を投じて因果をふくめたのだろう。そして、うまく相手にとり入ることができれば、そんな金もたちまち回収がつくという計算だったろう。

魅惑的な音楽がはじめられ、そのなかで美人たちは服をぬぎ、悩ましげな歩みで他星人の前に進んだ。それにもかかわらず、またも首は横にふられた。

「や、うまくいきませんな。これはわたしの、ちょっとしたかんちがい。だが、根本的な考えちがいをしていたわけではありません。あの他星人の性別を、かんちがいしていただけです。相手が男性でないとわかったから、女性にちがいありません。この論理的な判断にもとづき、つぎの行動を開始します。さいわいわたしは美男子で、すばらしい肉体の持ち主でもあります」

さらに高まる音楽のなかで、彼は服をぬぎ、筋肉を誇らしげに見せびらかし、酒をついだグラスを手に、ウインクを連発しながら進みでた。だが、他星人はまたも無表情のまま首をふった。ついに人類の知恵も、出つくした感があった。

その時。まじめそうな少年が、ハンマーを片手に進みでた。

「なんという、ばかばかしい騒ぎなんだ。ぼくは人類として生まれたのが、恥ずかしくなった。いや、人類が存在していることさえ、がまんができない。いっそ、滅亡してしまったほうがいいんだ」

と、わけのわからぬことを純真な声で叫びながら、かけよった。

「まて、なにをする」

人びとは制止しようとしたが、あまりに突然だったので、まにあわなかった。ふり下されたハンマーは他星人の頭に当たり、そいつはばったり倒れた。

「ああ、とんでもないことをしてくれた。これでどんな恐ろしい結果がもたらされるか、考えただけでも、気が遠くなる」

少年は引きたてられ、かわりに最高級の名医が招集された。

「なんとか早く手当てしてくれ。もしものことがあったら、大変なことになる」

しかし、集った名医たちは、診察をおえて首をかしげた。

「とても、わたしたちの手にはおえません」

「そんなことをおっしゃられては、困ります。全人類が攻撃されるかどうかの、せとぎわなのですよ」

「だが、わたしたちには無理ですよ。これはロボットですからね」

「えっ。なんですって」

「ごらんなさい、この目を。これは精巧な小型テレビカメラです。ほら、これがアンテナ。きっと、いままでのシーンを、どこかに送信していたのでしょう」

緑色の光の太陽の下の、この惑星では、どこもかしこも爆発的な笑いの渦《うず》でおおわれていた。

「……思いがけず、劇的な幕切れになってしまいました。というわけで、毎回ご好評を博しておりますテレビ番組『星めぐり』でございました。きょうは、その住民たちが地球と呼んでいる惑星からの実況中継でした。あの住民たちの珍しい考え方、風習などに接することができ、きっとみなさまのお気にめしたことと思います。では次回……」

変な薬

ケイ氏の家にやってきた友人が言った。

「あなたは、薬をいじるのが好きですね。いつ来ても、薬をまぜ合わせたり熱したりしている。なにか、いいことがあるのですか」

「喜んで下さい。やっと、すごい薬ができました。これですよ」

と、ケイ氏は粉の入ったビンを指さした。友人は、それを見ながら聞いた。

「それはけっこうでした。で、なんの薬ですか」

「カゼの薬です」

「いままでのにくらべ、どんな点がすぐれているというのですか」

「いま、ききめをごらんに入れましょう」

こう言いながら、ケイ氏は少し飲んでみせた。友人はふしぎそうだった。

「ききめを見せるといっても、あなたはカゼをひいていないではありませんか」

「いいから、見ていてごらんなさい」

まもなく、ケイ氏はセキをはじめた。友人は心配そうに、ケイ氏のひたいに手を当てた。

「熱がある。これはどうしたことです」

「さわぐことはありません。これはカゼをなおす薬ではなく、カゼひきになる薬なのです」

「ばかばかしい。あきれました。わたしにカゼをうつさないよう、願いますよ」

「それは大丈夫です。まあ、もう少しお待ち下さい」

一時間ほどたつと、ケイ氏のセキはおさまり、熱もさがった。友人はますます変な顔をした。

「もうなおったのですか」

「つまりですね。この薬を飲むと、カゼをひいたのと同じ外見になるのです。外見だけで、本人は苦しくもなく、害もありません。そして、一時間たつと、もとに戻るのです」

「妙なものを、こしらえましたね。しかし、こんな薬がなにかの役に立つのですか」

「もちろんです。ずる休みに使えます。すなわち、いやな仕事をしなくてすむというわけでしょう」

こう説明され、友人ははじめて感心した。

「なるほど、なるほど。それは便利だ。やりたくない仕事を押しつけられそうになった時は、この薬を飲めばいいのですね。すばらしい。ぜひ、わたしにわけて下さい」

「そら、ごらんなさい。ほしくなったでしょう。いいですとも、少しあげましょう」

小さなビンに入れてもらい、友人は喜んで帰っていった。

そして、ある日。こんどはケイ氏が友人の家をおとずれた。誕生日のお祝いをしたいから、ぜひ来てくれと、さそわれたのだ。

その食事の途中、ケイ氏はふいに顔をしかめて言った。

「急に腹が痛みだした。悪いけれど、これで失礼します」

友人はあわてたが、気がついたように言った。

「からかわないで下さい。わたしの家にいるのが面白くないので、早く帰りたいというのでしょう。ゆっくりしていって下さいよ」

「いや、本当に痛むのだ」

ケイ氏の顔は青ざめ、汗を流し、ぐったりとした。しかし、友人は信用せず、笑いながらひきとめた。

「このあいだのカゼ薬以上によくできています。いつもカゼでは怪しまれますから、

たまには腹痛にもならないといけませんね」

しかし、一時間たってもケイ氏は元気にならず、苦しみかたはひどくなるばかりだ。友人はやっと、これは本物の病気かもしれないと考えて、医者を呼んだ。かけつけてきた医者は、ケイ氏の手当てをしてから言った。

「まにあってよかった。もう少しおくれたら、手おくれになるところでしたよ。しかし、なぜもっと早く連絡してくれなかったのですか」

このことがあってから、ケイ氏は変な薬を作るのをやめてしまった。

月の光

広い部屋の、ガラス張りの天井からは、青みをおびた月の光が静かに流れ込み、きらめく星々が、音のない交響楽をかなでていた。部屋の片すみにあるいくつかの鉢植えのユリは、それぞれ十以上もの花を重そうにつけ、濃い、むせるようなかおりを絶えまなくまき散らしている。

その反対側のすみの小さなプールの水は、冷やかに澄んで、スイレンの花を浮かせ、壁の噴水からふき出しつづけている水滴を受けて、かすかな音と波紋とをつぎつぎと生みだしていた。水は、大理石のプールのふちを越えてあふれ、タイルの床をただよいながら、どこかに流れ去る。ここが彼のペットの飼われている室であった。

彼のペットは、しなやかなからだを床の上に横たえて眠り、水はその足先を月光に映えながらゆっくりと洗った。

「おい、えさを持ってきてくれないか」

飼い主の六十歳ちかい品のよい男は、この室に入るまえ、いつものように七十すぎの老人の召使に言いつけた。

「かしこまりました。きょうは、なににいたしましょうか」

「そうだな。パイと、シュークリームと、メロンがいいだろう」

「はい」

彼がパイプに火をつけ、二、三回、ふかぶかと煙をたちのぼらせているうちに、召使は言いつけられた品々を、大きな銀の盆の上に山のようにつみ上げて持ってきた。彼はパイプを机の上に置き、それを受け取り、扉をあけた。

扉の開く音で、ペットは身をおこして立ちあがり、ゴムの大きなボールを軽く足でけりながら彼に近よって、うれしそうに身をすりよせ、美しい目でじっと見あげた。

彼は身をかがめ、ひざをペットのもたれるがままにさせ、右手でそのまっ白な背中をなで、左手で床においた盆の上からパイを取って口に入れてやった。ペットはそれを食べ、見つめる彼の表情には、たとえようもない楽しげな表情が満ちた。

壁の装置から送りこまれるかすかな風は、ペットの長いつやのあるかすかな髪をさらさらとそよがせ、月の光はそれを手伝っているように見えた。ペットは時おり切れの長い目で彼を見あげ、彼もそのたびにやさしく見かえしてやりながら「こんなすばらしいペットを持っているものは、ほかにだれもいないだろうな」と、心のなかで自分自身にささやいた。

ペット。それは十五歳の混血の少女だった。しかし、混血の少女なら世の中にはいくらもいるかもしれないが、彼のペットのようなのは、おそらくひとりだっていないだろう。十五年前、生まれたての赤ん坊をもらいうけ、愛情をこめて丹念に育ててきたのだ。さいわい、彼には親ゆずりの財産があったし、また、親ゆずりの忠実な一人の召使もあった。それに、彼がある大きな病院に勤める医者であることも、いい条件だった。だから手に入ったのだし、成長の世話もゆきとどいた。

しかし、彼はペットをこれまで育ててくるあいだ、言葉をひとつも使わなかった。えさは必ず自分の手で与えたし、召使を室内にはいらせることは、ほとんどなかった。やむを得ずはいる時にも絶対に声を立てないように言いつけたし、召使は忠実にそれに従った。

言葉など人間にはいらない。言葉がどれほど愛情を薄めているだろうか。人びとは言葉なくして得た愛情を、必ず言葉によって失っている。彼はこのように考えたのだった。

このペットの美しいからだのなかには、愛情ばかりがいっぱいにつまっている。そして、それ以外のものはなにもない。この静かな部屋のなかにも、世の中のみにくいことは、なにひとつしみ込んでいないのだ。

彼は肩をなで、ペットはおとなしくメロンを食べ終えた。そして、ペットはスイレンの浮かぶプールに軽くかけより、噴水から散る水を手で受けて口に入れた。水は指のあいだからこぼれ、ペットの白いからだをうつす水面をきらきらと乱した。水を飲んだペットは、プールのふちに腰をかけ、大きな目でしばらく彼を見つめていた。

彼はペットの食べのこしたえさを銀の盆の上に片づけ、壁の棚の上にのせた。それから、ペットを手で招きよせ、青いリボンで髪をたばねてやり、部屋のまんなかの空間を横切っている銀色の鉄棒を指さした。いつもペットのする、食後の運動なのだった。

ペットはすんなりしたからだをバネのようにはずませ、それに飛びついた。青白い光で満ちた海の底のような空間に、まっ白な色が何回も弧を描き、そのたびにリボンにつけられている小さな金の鈴が流れ星となってきらめき、響きを飛ばせた。ユリの花のかおりはかき乱され、噴水とたわむれた。

鈴の響きはとだえ、ほんのりと赤味をおび汗ばんだペットは、彼を見た。彼がうなずくと、ペットはプールに飛び込み、そのために水は勢いよくあふれ、タイルの上を踊りまわった。

彼は毎日、このようにしてはじまる夜を持った。夜は言葉の無意味さをはっきり示しながら、静かな沈黙のうちにふける。

ペットは、昼のあいだはガラス越しにさし込む日の光を浴びて眠り、彼の帰宅のころに目ざめるのだ。

甘い、夢のような夜。だが、彼はこれを、あらゆる遊びを断った十数年をつぎ込んで得たのだ。その忍耐と努力を思えば、決して不当なものと呼ぶことはできない。

彼は夜おそく眠り、朝の食事をすますとペットにえさをやり、すがすがしい気分で自動車を運転して病院にでかける。ペットが眠りにはいる静まり返ったこの家の午後には、老いた召使が、時どきものうい動作で室の気温を外から調節する動きだけがあり、その召使さえもまた、いつしか椅子《いす》に寄りかかってまどろみ、平和な時間が流れて行くのだ。

しかし、ある日、突然、この平和と幸福にあふれた家に、見えない嵐がもたらされ、椅子にかけてうつらうつらしていた召使は、電話のベルで驚かされた。

「もしもし、大変なことです」

「はい、なにが起ったのでしょうか……」

召使は聞き返した。

「おたくのご主人がたったいま、自動車の事故で、大けがをなさったのです」

「本当でしょうか」

召使は受話器を手にしたまま、ふたたび椅子に腰をおとした。

「ようすはどうなのです」

「だいぶ重態です。よくわかりませんが、うわごとで、えさをやらなくてはと、くり返して言っています。もし、犬でも飼っていらっしゃるのなら、よろしくお世話をお願いしますよ」

「はい……」

だが、夜になるにつれ、召使の困り方は高まった。どうやって、えさをやったらよいのだろうか。召使は主人がいつもやっていたように、盆の上にショートケーキ、オレンジなどをのせて、おそるおそる扉をあけた。その音で、寝そべっていたペットはうれしそうに身を起しかけたが、召使の姿を見て、あわててプールにとび込み、スイレンの葉の下に身をひそめた。

「ご主人はけがをなさったのだ。今晩はこられないから、これを食べなさい」

召使は思わず話しかけたが、ペットには通じるはずがなかった。それどころか、はじめて聞く声にいっそうおびえた。召使はぎこちなく手まねをくり返したが、それはこの室のようすに似つかわしくなかった。自分がいては食べないのだろうか。召使はこう考えて銀の盆をタイルの床の上におき、扉から出た。

しかし、しばらくして、ふたたび召使がそっとのぞき込んだ時にも、盆の上のものは少しも減っていなかった。愛情という副食物がないとなにも食べられないペットは、プールのふちにぼんやりと腰をかけ、待っていた。

つぎの朝、召使は主人の入院している病院に電話をかけてみたが、危機は脱していなかった。

「面会して、お話しできないでしょうか」

「とんでもありません。顔をごらんになるだけならかまいませんが」

召使はなんとかしてペットを連れてゆき、えさを与えてもらおうと思ったのだったが、それはとても無理らしかった。

召使は部屋に入り、えさを取りかえた。主人がよく与えていたシュークリームも加えて。

「食べておくれよ。お願いだ。ご主人がお帰りになった時に、ひどく怒られるから……」

召使はおろおろして泣くようにたのんだが、ペットには通じなかった。夜になっても、盆の上のえさは少しも減っていなかった。いくらかやせ、色の青ざめたペットは、ユリの花に顔をよせにおいをかいでいた。

主人の危篤《きとく》はつづき、ペットはさらに青白くやせた。召使はペットのために医者を呼ぼうかとも考えたが、それをすることは、もはや新しく勤め先を探せない身で辞表を書くことを意味する。老いた召使は落ち着かず、ペットの室をのぞくのと、入院先に電話するのとを、時どき思い出したようにくり返した。

疲れはててうとうとした召使を、夜の電話が目ざめさせた。

「ご主人が、なくなられました……」

召使は受話器をもどさず、机の上に気抜けしたように投げ出し、ペットの室に足をむけた。

主人の最も愛したペット、最も親しかった家族、いや、彼そのものだったかもしれない。これに、どうやってこの不幸を伝えたらいいのだろうか。無理かもしれないが、伝えないわけにはいかない。

ペットは、タイルの上に静かに横たわっていた。召使はそっと近づき、肩に手をふれた。だが、それは大理石と同じつめたさになっていた。

ユリの花びらが一枚おちて、かすかな音をひびかせた。

包囲

ある夕ぐれ時、私は駅のホームのはじに立っていた。さっき、満員になった電車をやりすごしたから、つぎの電車には必ず腰かけられるはずだ。それで腰かけさえすれば、あすの朝まで自由と休息にみちた時間がつづくのだ。私は早くも点滅しはじめた遠くのビルのネオンをぼんやりと眺めながら、ホームに入ってくる電車の音を聞いていた。

その時、なにものかが、私の背中を勢いよく押した。

あぶない、と思うより早く、私の手はとなりに立っていた男の服のそでにつかまっていた。そのため、間一髪というところで、ホームのはじに止まることができた。その前を、電車が勢いよく顔をかすめながら通りすぎた。

「あぶないところでしたね」

ひとりで足を滑らせたのかと思ってか、となりの男は、こんなことを言ったが、私はそれには耳もかさず、今うしろから押したやつを見つけようとした。

電車が止まり、列が乱れはじめたので、さがすのは容易でなかった。あいつだろうか。それともあいつだろうか。

そうだ、あいつだ。直感的にひきつけられた。いまの電車から下りた乗客のように装ってむこうに歩いて行く、黒っぽい服の男。あの男にちがいない。いまの電車から下りたのなら、まだあそこまでは行けないはずだ。そういえば、背中の押された場所から察すると、あれくらいの身長だったにちがいない。私はとっさに判断を下し、あとを追った。

私はその男を、改札口のさきでつかまえた。そして、あまり強そうでないその男を、駅のそばの薄暗くて人影のない公園につれ込み、くり返して問いつめた。

「やい、なぜ、おれを突き落そうとしたのだ」

この小柄《こがら》で貧相な男には、まったく見覚えがなかった。それだけにかえって薄気味がわるく、なぜこの男が私に殺意を持ったのかを知りたかった。

「そんなこと知りませんよ」

その男は同じことをくり返し答えたが、そのたびに、私も同じことをくり返して聞いた。

「なぜ、おれを殺したいんだ」

「わたしはあの時の電車で下りたんです。そんな言いがかりは困りますよ」

何度目かに彼がこう言った時、私は思い出して声を高めた。

「それなら、入場券で改札口を出たのはどういうわけだ」

この言葉で、相手は黙った。

「どうしても言わないつもりなのか……」

私は夢中になり、万年筆を出して相手の指のあいだにはさみ、にぎりしめていた。理由を知りたい気持ちは、この行為の残酷さを気にかけるどころではなかった。小さな悲鳴をあげ、その男は言った。

「言いますよ」

「さあ言え、おれになんのうらみがある」

私は万年筆をポケットにおさめ、こんどは両手で相手の服のえりをつかんだ。

「あなたに、うらみなんかありません。第一、あなたと会ったこともないじゃありませんか」

「それなら、なぜ背中を押した」

まだ男が答えたがらないので、力を加えて彼をゆすった。

「たのまれたのですよ」

そうか、たのまれたのか。それなら私がこの男を知らなくても、ふしぎはなかった。

「だれに、たのまれたのだ」

私はまた相手をゆすり、彼はしぶしぶ一つの住所と名前とを口にした。だが、その名前の男は、これもまた私の記憶にないものだった。

「その男がなぜわたしを殺したがっているのか、知っているか」

「知りませんよ、そこまでは……」

この男が知らないのは確からしかった。私はたのまれただけで簡単に人を殺そうとしたこの男を、しげしげと眺めた。

「いったい、たのまれただけで、そんなことをする気になれるものかね」

「おっしゃる通りです。いくらたのまれたからといって、そう簡単に人を殺す気になるものではありません」

相手の返答は、一段と疑問をかきたてるような言葉だった。

「それなら、どうして殺す気になった」

「しかし、たまたま二人の人から、ちょうど同じことをたのまれたのです。しかも、それぞれ、かなりの謝礼を出すという。そうなると心が動きますね」

「そのもう一人のやつは、なんという名だ」

男は自分の責任をのがれることができそうな成り行きを察してか、その名前をも言った。だが、その名前にも、私は心当りがなかった。

「その男と、さっきのやつとが、いっしょにたのんだのか」

「いや、べつべつでした。二人は知り合いでもなさそうでしたね」

「ふん、そうか。だが、これ以上おまえを痛めつけても、意味はなさそうだな」

私は聞き出した二つの住所と名前を手帳に書き、男を放した。

つぎの日。私はその住所のひとつを探し、その名前の主を近くの空地のすみへ連れ出すことに成功した。

「あいつにおれを殺すようにたのんだわけを、聞こうじゃないか。おまえに会った覚えはないが、いったい、おれになんのうらみがあるんだ」

「なんのことだか、少しもわかりませんが……」

しかし私は、昨日の男に対したように執拗《しつよう》に問いつめ、最後に相手は、私がちらつかせているナイフそのものより私の目つきの方におびえたのか、観念した。

「わたしはべつに、あなたにうらみはありません。だが、たまたま、二人の人から、同じようにたのまれたのです。しかし、わたしには、人を殺すことなどできません。そこで、あの男にたのんだのです」

相手の答は、昨日の男と同じだった。私は相手の言った二人の住所と名前とを手帳に書き込んだ。

「この二人はおたがいに知り合いか」

「そうではないようです」

つぎに、私は昨日の男が言った、もう一人の男の名前を言って聞いた。

「この男を知っているか」

私はふたたび夢中になって問いつめたが、相手はまったく知らないようだった。

「どうやら、おまえは本当に知らないようだな。よし、こいつに会って聞き出してやろう」

私は手帳を一冊書きつぶしたが、私を殺そうと思っているものの正体を、いまだにさがし出していない。

しかし、世の中の人すべてが私を殺したがっていることだけは、おぼろげながら想像がついてきた。

ツキ計画

「さあ、おはいりになって下さい」

と所長にうながされ、私は期待にみちてドアをあけ、思わず目をみはった。

ドアのなかの暖かい部屋の厚いじゅうたんの上に、金色の首輪をつけた、すばらしい美人がうずくまっていたのだ。その美人は、ものうげに顔をあげて私を見つめ、私は彼女を抱きしめたいような気分になった。

広い宇宙では、どのような状態が人間を待ちかまえているかわからない。だから、人類が宇宙に進出してゆくためには、あらゆる方法を試みて人間の能力を高める研究がされなければならないのだ。

私は、その研究の一環をなすツキ計画の取材を許されて、この研究所を訪れたのだ。

「近よって観察してもいいでしょうか」

私はうずくまっている美人を指さし、つとめて記者らしい口調で聞いた。

「どうぞ、ご自由に……」

所長はしかつめらしい口調でうなずいた。私は美人のそばにしゃがみこんだ。すると彼女は、柔かく悩ましげにからだをすりよせてきた。これは夢ではないのだろうか。そのくねくねした感触にたまらなくなった私は、所長の存在を忘れて、力をこめて美人を抱きしめた。すると、反射的に彼女は声をあげた。

「ニャア……」

それと同時に、私はツメで顔をひっかかれた。

「気をつけて下さい……」

と所長は落ち着いた声で私に注意し、

「さあ、おとなしくするんだよ」

とその美人の頭をなでた。彼女はふたたび、おとなしく床にうずくまった。

「いまわたしがひっかかれたのは、いったい、どういうわけなんです」

「この女性には、ネコツキになってもらっているのです」

「ネコツキですって」

「ええ、まだくわしく説明しませんでしたが、この研究所では、キツネツキからヒントを得た理論の実験をしているのです。いろいろな動物を人間につけ、それによって人間の能力を高めようというわけです。最近では、人間につけられる動物の種類が、しだいにふえてきましたよ」

「ははあ、それで、あの女性がニャアと叫んでひっかいたのですね。で、ネコツキには、なにか利用面があるのですか」

「もちろんです。高い所から飛び下りる時は、ネコツキにしておくに限ります。宇宙船の不時着の時の衝撃には、ネコツキでないものにくらべて、数倍も耐える力が強いわけです」

「なるほど……」

しかし、私はまだ、さっき美人がすりよってきた時の感触を忘れられなかった。

「……宇宙旅行ばかりでなく、家庭生活にも応用ができそうですね」

「いずれはそうなるでしょう。しかし、その時には、ツメにかぶせる物がずいぶん売れるでしょうな」

私たちは次の部屋にうつった。一人の男がよつんばいになって近よってきたので、私は所長に聞いてみた。

「これは、おとなしい動物がついているようですね」

「ええ、なにがついていると思います」

「さあ……」

私はメモを手に近よった。その時、男は私のメモを口にくわえ、かみはじめた。

「ははあ、わかりました。ヒツジツキですな」

「そうです。ブタツキを作りたいのですが、これはどういうわけか、まだ成功していません。そこで、その前の段階として、ヒツジツキの実験をしているわけです」

「そのブタツキが成功すれば、どんな利点があるのですか」

「ほかの星に行って食料が欠乏した時、ブタツキにすれば、どんな物でも、かまわず食べてくれます」

まったく、宇宙に進出するには苦労が多い。私は宇宙基地でブタツキにされ、野菜のくずや残飯を食わされる自分を想像して、胸が悪くなった。

「ほかには、どんなのがあるのでしょうか」

と、さいそくする私を、所長は次の部屋に案内した。そこでは、ドアに何本かの太い鉄棒がはめられてあった。

「あまり近よらないで下さい」

格子《こうし》の間からのぞこうとする私に所長は注意したが、なかにいる太った男は、割合にやさしい目つきをしていた。

「おとなしそうではありませんか」

「ええ、いつもはおとなしいんですが、このあいだ、ひとりが踏みつぶされて大けがをしたので、それ以来、注意しているのです」

「なにがついているのです」

「基地建設のためには、力仕事をしなければなりません。その時には、この男のようにゾウツキにするのです」

その次に訪れた天井の高い部屋のなかでは、子供がさかんに飛びはねていた。

「ずいぶん高く飛べますね」

「これはウサギツキです」

「高く飛ばせるには、カエルツキにしたほうがいいのではありませんか」

「いまの段階では、カエルのような下等生物はまだ駄目なのです」

「では、ヘビツキも無理なわけですね」

私は人間がまだヘビツキにされないと知って、少しほっとした。

「しかし、だいたい宇宙では、ホニュウ類だけでまにあうでしょう。それに、むりにハチュウ類ツキにする研究より、がけをのぼる時にはリスツキとサルツキとどっちがいいかなど、その前に検討しなければならない問題が、たくさん残っているのです」

「最も新しい研究には、どんなものがありますか。それを拝見したいものですね」

「では、どうぞこちらへ……」

私は次の部屋に案内された。

「これは、ナマケモノという動物をつけたのです。なかなかむずかしかったのですが、やっと成功しました」

そのナマケモノツキは、部屋のすみでじっとしていた。

「ああじっとしていては、役に立たないでしょうに」

「とんでもありません。長い宇宙旅行でいらいらし、けんかしたりするのを防ぐには、これに限ります。薬を使っていらいらを押えるのは、どうも副作用があとに残って問題ですが、これなら大丈夫です。このナマケモノツキのおかげで、はじめて人間の長距離宇宙旅行の可能性が確立されたのです」

所内を一巡し、所長室に戻った。

「いろいろと面白い研究を見せていただいて、ありがとうございました。ところで、どうでしょう。ひとつ、実際につけるところを見せてくれませんか」

「よろしい。なにをつけてごらんにいれましょう」

「では、いちばんシンプルな、キツネツキになるところが見たいものですな」

所長はこれを聞いて、謹厳な顔をちょっと苦笑させながら答えた。

「ごもっともです。キツネツキは宇宙旅行のためにはなんの役にも立ちませんが、これらの理論の基礎になったものですからね。しかし、最初のうち、キツネツキの実験の時には、いろいろな失敗もありましたよ」

「危険なことでも……」

「いや、ちっとも危険ではありません。では、あいにく適当な人がおりませんので、わたしがキツネツキになってごらんにいれましょう」

「それは恐縮です。だが、もとに戻らなくなることはありませんか」

「大丈夫です。タイムスイッチで、五分間たつともとに戻るようにしておきますから……」

所長は金属の首輪を自分の首に巻きながら、私に言った。

「その机の上の装置のボタンを押して下さい。そうすると、電波が首輪に送られ、わたしはすぐにキツネツキになります」

私は机の上にある装置のボタンを押してみた。すると、かすかなうなりがおこり、同時に所長はたちまちキツネツキになって叫びはじめた。

「コンコン……」

いままでむずかしい顔つきで、もっともらしい説明をしてきた所長が、急に口をとがらせて高いなき声を出し、妙な手つきをはじめたのだ。まったく腹がよじれるようなおかしさだった。

私は大声をあげて笑いころげ、せき込まんばかりだった。そのため、のどがかわいてきた。だが、部屋を見まわしてみても、水道の蛇口は見当らなかった。

しかし、その時、テーブルの下からでも出したのだろうか、所長がいつのまに用意したのか、なにかを持っていた。よく見ると、ジョッキにつがれたビールだった。

なかなかサービスがいいな。私は所長から妙な手つきですすめられるままに、ジョッキを手にし、なんだかおかしなにおいがしたようだが、その黄色くあわ立つなまぬるい液体を、思いきり飲んだ。

暑さ

夏の日の午後。むし暑さを含んだ空気は、少しの風さえも起そうとせず、じっと立ちどまったままだった。物かげの犬は、だらしなく寝ころんだまま動こうともせず、街角にある大きなキリの木も、一枚の葉さえゆらさなかった。

そして、その木の下にある交番のなかでも、巡査が小さな机にむかったまま、なにか書類に目をやっていたが、この暑さはその内容を彼の頭には入れさせはしない。

どこからともなく、おとなしそうな若い男が現われ、交番の前に立った。暑い空気がうみ出したようにも見えた。その男は交番のなかにむかって、声をかけた。

「あのう、わたしをつかまえていただくわけには、いかないものでしょうか」

巡査は、ゆっくりとふりむいた。

「え、なんですって。まあ、その椅子《いす》にかけて話したまえ」

と、そばの古ぼけた椅子を指さした。

「はあ、わたしの話を聞いていただけましょうか。そして、わたしをつかまえてはいただけませんか」

「ははあ、自首ですか。お話によっては、本署に来ていただくことにもなるでしょう。ところで、なにをなさったのです」

と、巡査は少し身構えるような姿勢になった。

「いえ、まだ、なにもしておりません」

「では、だれかをおどすようにたのまれたとか、傷つけるようひとにたのんだとでも」

「いえ、わたしの言いたいのは、そんなことではありません。いまにも、自分がなにかをしそうなのです」

巡査は汗をふき、首をかしげ、それから目と口もとに独特な笑いを浮べた。

「ああ、そうですか。こう暑くては無理もありません。自分が、なにかとんでもないことをはじめそうに感じるのでしょう。時どき、そんな訴えがありますが、その心配はありませんよ。帰って昼寝でもなさればなおりましょう。それに、われわれとしては事件が起らないうちは、どうしようもないのです。いかに、殺してやる、と叫んでいる者があっても、その動きがないうちは逮捕しようがありません」

若い男は、汗をふこうともせず、こうぽつりと言った。

「ちょうど一年前の、こんな暑い日。わたしは殺したんです……」

巡査はこれを聞いて緊張した。

「え。なぜ、それを早く言わない。だれを殺したんだ」

「サルです。わたしの飼っていたサルを」

と、男が答え、巡査は緊張をといた。

「きみ、自分の飼っていたサルを殺したって、べつに自首するには及ばないんだよ。しかも、一年前の話を、なんで今ごろ持ちこむんだね。そういう訴えなら、この先の右側に神経科の病院があるから、そっちへいってもらいたいね」

「わたしの頭がおかしい、とお考えなのでしょうね。だが、いままでに何回か診察してもらいました。そして、少しもおかしい所はないと言われているのです」

「なにも事件を起さず、頭もおかしくない。そんな人を逮捕することは、できないのですよ。なにも憲法や法律を持ちださなくても、常識でわかることでしょう」

「それは知っています。だけど、わたしの話をひと通り聞いていただけましょうか」

「いまは忙しいわけでもないから、話して気が晴れるなら、そこで話してもいい。しかし、話は簡単にして、二度と来ないでほしいものだね」

「ありがとうございます。わたしは子供のころから暑いのがいやなんです。暑いと頭がぼんやりして、それでいて、とてもいらいらしてくるのです」

「だれでもそうだろう。暑さで頭がさえてくる者など、聞いたことがない」

「わたしの場合は、特にそれがひどいようです。なにかをしなければならない、という衝動が強くなり、それを無理に押えようとすると、頭が狂いそうになるのです」

「だれでもそうだろう。そこで、スポーツや読書など、自分に適当なものに、はけ口を見つけるわけだよ」

「わたしも、そのはけ口を持っています。そのはけ口があるから、頭が狂わないですんでいるのです」

「それなら、いいじゃないか。なにも、交番にまで来て大さわぎしなくても。さあ……」

と、巡査は手を振ったが、男は、

「もう少しですから。まあ、聞くだけ……」

と、すがるように言って、話をつづけた。

「……子供のころ、そのはけ口を見つけだした時のことです。高まる暑さにどうしようもなかった時、ふと畳の上をはっているアリをみつけ、つぶしてみたのです。すると、それまでのいらいらがうそのように消えて、その夏はそれからすがすがしい気分ですごせました」

「いい趣味じゃないか。ひとに迷惑がかかるわけでも……」

巡査の語尾は、あくびとまざった。

「つぎの年、やはり夏の暑さが高まってきて、いらいらが強くなりました。そこで、前の年のことを思い出し、アリをつぶしてみたのです」

「ふうん」

「だが、だめでした。困った、どうしたらいいか。じりじりした絶頂で、その解決が偶然に見つかりました。なんだったと思います」

「ふうん」

巡査は目を閉じて、返事にならないあいづちをつづけたが、男はおかまいなしに話をつづけた。

「カナブンをつぶしたのです。その夏は、それからずっと、すがすがしい気分でした。そして、その次の夏。少しこつがわかってきたので、近所の子からカブトムシをもらい、それをつぶすことによって、いらいらを押えることができました」

「ふうん」

「こうして、わたしの頭は狂うことがなく、いまにいたっているのです。おととしの夏は犬を殺しました。そのころになると、すっかりなれてきて、つぎの年の準備をすぐにはじめるようになっていました。秋になると、さっそくサルを飼ったのです。サルも飼ってみると、案外かわいいものですよ」

「ふうん」

と、目をつぶった巡査は椅子にかけたまま、上半身ぜんたいで、うなずいた。

「とても殺す気にはなるまいと思いました。だが、昨年も暑さが高まるにつれ、いらいらを押えることはできませんでした。わたしは、サルをしめ殺してしまったんです」

男の声は大きくなり、巡査は目を開いて、あわてて汗をぬぐった。

「え、サルを殺した話は、さっき聞いたことじゃないか」

「わたしを逮捕して下さい」

「そう無理を言っては困る。さっき言ったように、きみは、なにも事件をおこしていない。それに、昆虫採集のようなことにはけ口を見つけて、頭も狂わず、正常だ。そんな人を、逮捕したり、収容したりすることはできないよ」

「そうですか。では、仕方ない。帰りましょう。おじゃましました」

「ああ、そうしなさい。ゆっくり昼寝でもするんだね。夜になるとむし暑くなって、寝られないから」

「そうですね」

と、立ちあがった男に、巡査はなにげなく聞いた。

「家族はあるんだろう」

「ええ、昨年の秋に結婚して……」

約束

　春の日の午後。あたたかい陽ざしは野原いちめんにひろがり、そこでは緑の草と色とりどりの花々とが、かげろうでまぜられて限りない揺れをつづけていた。

　銀色に輝く飛行物体がどこからともなく現われて、静かにそこに着陸した。軽い金属的な音をひびかせて開いたドアからは、真紅《しんく》の服をぴったりと身に着けた三人が出てきた。野原で鬼ごっこをしたり、花をつんでいた子供たちは、目ざとくそれを見つけた。

「あっ、あんな人たちが出てきたよ」

「なんだろう。行ってみよう」

　子供たちはかけより、あどけない声で呼びかけた。

「ねえ、おじちゃんたち。それに乗ってどこから来たの」

　しばらくして、真紅の服の一人が奇妙なアクセントで答えた。

「われわれは空のむこうの、遠い遠い星からきたんだよ」

「なにしにきたの、どこへ行くの」

子供たちは、おそるおそる服にさわりながら、口々に聞いた。

「べつな星に調査に行く途中なのだが、この星を見かけて、ちょっとおりてみたのだよ。ゆっくりはできないが、標本にする植物を少し集めていこうと思ってね」

それに対し、

「じゃあ、ぼくの集めたお花をあげるよ」

「うん。ぼくたちが手伝ってあげよう」

子供たちは、また野原のかげろうのなかにちらばり、しばらくしてつぎつぎと戻ってきた。

「ほら、こんなに集めてきたよ」

「ぼくはこれだけ」

「ありがとう。おかげで早く仕事がすんだよ。お礼になにをあげようか」

と真紅の服の人物は言い、子供たちはひそひそと相談しあった。

「おじちゃんたち、どんなことができるの」

「われわれは文明がここよりずっと進んでいるから、たいていのことはできるだろう。なにかして欲しいことでもあるのなら、言ってごらん」

「それならね。大人たちのやり方を、あらためさせてほしいな。大人たちに、ウソをつかせないようにすることなんかもできる……」

「ああ、できないこともないよ」

「ほんと。大人って悪いことばかりしているんだよ。よくわかんないけれど、ワイロなんてことも……」

「わかった。やってあげるよ。だが、われわれには急ぎの仕事がある。帰りには必ず寄って、やってあげるから、待っていておくれ。約束はきっと果たすよ」

「うん。きっと来てね。待っているよ」

さよなら、さよなら、と呼びかわす夕もやのなかを、物体は上昇し飛び去っていった。

「きもちのいい連中でしたね」

そのなかで宇宙人はこう同僚に言った。

「さあ、急ごう。そして、早く約束を果たしてやろう」

飛行物体は目的地めざし、暗い虚空《こくう》で速力をあげた。

帰路。彼らはふたたび約束の星におりたった。

「さて、あの連中はどうしたろう。きみたち、さがしてきてくれないか」

と一人が残り、二人は約束の相手たちをさがすために出ていった。そして、戻った。

「おそかったじゃないか」

「だいぶ成長していて、見つけるのに手間どってしまってね」

「それで見つかったのか、約束の相手たちは」

「見つけはしましたが、どうも変ですね、この星の連中は」

「いったい、どうだったんだ」

「すっかり忘れているのです。そこで、こっちから言いだしてみたのですが、太った腹をなでながら、だれもがこんな返事でしたよ。ああ、そんなこともあったかな、だが、そんな約束はなかったことにして、いまさらよけいなことはしないでくれ、とね」

猫と鼠

また二十五日の夜がやってきた。かわいそうだが、督促の電話をかけるとしよう。この冷酷な世の中に、同情は無用だ。私は電話をかけた。呼出音がとだえ、相手の声に変った。それにむけて、私はていねいに、また、にくにくしく話しかけた。

「おや、まだご在宅でしたね。わたしですよ。そう、お待ちしておりますよ。きょうは二十五日。まさかお忘れではないと思いましたがね。ちょっとご注意までに……」

相手はうんざりするような感じを、声に露骨にあらわした。

「わかっています。もちろん、忘れてはいませんよ。しかし、ちょっと急用ができましたので、あしたにしていただけませんか。あしたの晩には、必ずおうかがいいたしますから」

見えすいたことを言うやつだ。期日を少しずつおくらせて、なんとかうやむやにしようという、はかない計画だな。だれでも一応は考えることだ。そんな手にのるわけにはいかない。私は明るく、ねちねちと言ってやった。

「それはそれは。急用とは困りましたね。いや、おいでになれないのなら、それでけっこうですとも。どうぞご自由に。しかし、お約束を破るのなら、それだけの覚悟だけはなさっておいて下さいね。なに、覚悟だけでいいんですから、簡単なことですよ。筋肉ひとつ、動かすわけでもありませんしね……」

胸のなかの霧が晴れてゆく思いだ。私の日常ですがすがしいのはこの時ぐらい。相手は、歯がみをするような声を出した。

「わかりましたよ。今夜おうかがいすればいいんでしょう。しかし、ちょっと用事をたしてゆくので、おそくはなりますがね」

「そうですよ。そうおっしゃらなければいけません。金策ですか。大いにがんばって下さいね。ご成功を祈っていますよ」

相手は音をたてて電話を切った。やつは来るにきまっている。あとは待つばかりだ。私は部屋のなかでテレビにむけた長椅子《ながいす》に横たわり、時間をつぶした。いくつかの番組が終ったころ、ドアにノックの音がした。

「どうぞ、どうぞ。お入り下さい。お待ちしていましたよ」

ぬっと入ってきた男に椅子をすすめ、私は長椅子で身を起した。

「さあ、おかけなさい。どうです。このごろの景気は」

ねぎらいの感情をこめてこう呼びかけたが、相手はかんだ苦虫をはき出すように答えた。

「景気ですって。そんなものはありませんよ。かせぐはじから、あなたに巻きあげられては。いや、あなたに巻きあげられるために働いているようなものだ」

「まあまあ。そういやな顔をなさっては、健康上よくないんじゃないでしょうか。しかし、そのぐちを今さら持ち出すこともないでしょう。あなたは殺人をなさった。わたしはたまたま、それを目撃していた。そのため、あなたは金を払う義務ができ、わたしにはいただく権利ができた。これは、はっきりきまったお約束ではありませんか」

「まったく、きさまに見られたのが、運のつきだった」

「そう物事をひねくれて考えては、いけません。もっと、すなおにおなりなさい。目撃者がわたしだったからいいようなものの、それがわたしでなくて、もっと残酷な、善良な一市民というものだったら、どうなっています。あなたはつかまり、悪ければ死刑、よくって無期。それがこう自由でいられるんですから、あなたはもっと自分の幸運を喜ばなければいけません。せっかくの人生です。不運をなげきつづけて送って

も一生ですし、幸運を喜びながらすごしても一生ですよ」

世の中に、ひとに訓戒をたれるぐらい気持ちのいいことはない。

「一生だと。きさまはおれにつきまとって、おれの一生を食いものにする気か……」

「困りますねえ、そう興奮なさっては。わたしはあなたの一生を保証してあげているのですよ。ちょうど国家が税金をとって、国民の福祉を守っているのと同じです。税金だって何年間払ったから、あとは免除ということもありません。生きているうちは、払うものです」

「ちくしょうめ。おれからしぼり取った金で、長椅子にすわって、一日中テレビを眺めて、のうのうと暮しゃがって」

「そう乱暴な言葉を使っては、いけません。人間にはそれぞれ、なにか悩みがあるものですよ」

私は椅子にすわりなおし、ゆっくりと首を振った。やつは、かっとなって立ち上った。

「あるものか。もうがまんがならぬ」

と叫びながら、私にとびかかり、ポケットから出したナワで、私をしばりあげた。私はおとなしくしばられてやった。それでも、口をきくことはできた。

「こんなことをなさっては、いけません。もっとも、あなたからいただく金も、わたしのほうで先に一生を終れば免除なんですから、あなたの一生との差額を少しでも長くなさりたいことは、わかりすぎるほどわかりますね。だが、わたしの寿命は、当分なくなりそうもない。殺したくも、なるでしょうね」

「あたりまえだ」

「そのお考えは健全です。だが、実行に移そうとするのは、健全な頭ではできませんね。前にも申しあげましたが、あなたの殺人事件を書いた書類が信託会社にあずけてあって、わたしが殺されたらすぐにそれが開かれることになっています。そうなると、殺人プラス殺人で確実に死刑です。いいですか。処刑の日がじわじわと近づいてきて、あばれても叫んでもむだ。その日には、目かくしをされ、首にナワが巻かれ、そして、ぎゅっとなるんですよ。このことをお忘れなく」

「しかし、ほかのやつに殺されたらどうなる。それではこっちが迷惑だ」

「いや、わたしを殺したがるのは、あなた一人。だから、ひとに頼んでも同じことですよ。ほかの連中は、わたしの長寿を祈る人ばかりだ。人徳のしからしむるところですね。さあ、早くこのナワを解いたらどうです」

まったく、このように万全な準備がしてあるからこそ、落ちついていられるというものだ。だが、相手はナワをほどきそうになかった。

「そうはいかん。人間は追いつめられれば、なんとか方法を考えつく。さいわい、おれにも健全な頭がついていた。そこで、きさまを完全な記憶喪失症にすることを思いついた。どうだ、すばらしい考えだろう」

「ちっともすばらしくはありませんねえ。それに、それは無理ですよ。わたしだって、あなたのやりそうなことは、とっくに、すべて検討してあるんですから」

それでも、相手はひるまなかった。

「しかし、人間は完全に盲点を持たぬというわけにはいきませんよ。猫だって、追いつめた鼠にかまれますからね」

と少し言葉づかいがあらたまった。だれでも不意に言葉づかいがやさしくなると、なにかしでかす。少し薄気味がわるくなった。

「おい、なにを考えついたんだ。死刑になるつもりなのか。こっちの頭でもたたいてみようというのか、薬でも飲ませるつもりなのか。しかし、そんなことでは簡単に記憶はなくならないぞ。たとえ一時的になくなっても、いずれは戻る可能性がある。さあ、早くナワをほどき、金をおいて帰れよ。人間は地道に働くのが一番だよ」

どうも相手のようすが、少しおかしい。きょうの楽しみはこれぐらいにして、いいかげんで帰してやろう。あまり追いつめて、逆上されても困る。だが、相手は逆上するけはいもなく、ドアに歩みよってそれに手をかけた。私は言う。

「おい、帰るのはいいが、金をおくのとナワをほどくのを忘れては困るな。さよならのあいさつは、どうでもいいが」

「いや、ドアの外に面白いものをおいてありますから、それをお見せしようと思いましてね」

「なんだ。まあ、早く見せて、早くナワをほどけ」

相手はドアから出て、ふたたび戻ってきた。そして、まったく、とんでもないものを持ちこんできた。私はそれを見てきもをつぶした。

「なにものだ、そいつは……」

どこからさがしてきたのか知らないが、それは私にそっくりな、からだつきと顔つきを持った男だった。

「どうです。これが、記憶を喪失したあなたです」

「そうとも」

と私にそっくりな、その男が答えた。なんとも妙な気分だ。

「いったい、そいつはだれなんだ」

「このあいだ、あるところで、偶然こいつを見つけたのです。その時、こいつはいけると、インスピレーションがわきました。話を持ちかけてみると、幸運にもまとまりましてね。もっとも、この男には、それ相当のことをしたうえ、あなたがこれまで私からしぼってためこんだ金も、相続税いらずにうけつげるようにきめましたがね。捨てる神あれば、助ける神ありだ。さあ、これでわかったでしょう」

ナイフが開かれ、私につきつけられた。いや、人間は必死になると、驚くべきことを考えつくものだ。早く気がつけばよかったが、残念ながら、私もそこまでは考えなかった。上には上がある。あっぱれなやつだ。

「これはやられた。こんな手があるとは思いもよらなかった。こうなったからには、わたしも男だ。じたばたはしない。さあ、ひと思いにやってくれ。どうせ、いつかはむくいを受けると思っていたよ」

「そうとも、おれから、さんざんしぼったんだからな。むくいを受けてもらわねば困る。悪く思うな」

相手は少し、かんちがいをしているようだ。まあ、いい。あしたになればすべてわかる。といっても、金がほとんどためこんでない程度のことではない。

あの、これから私になろうというやつも、あしたになったら、さぞ驚くだろう。なにしろ毎月二十六日になると、私の昔やった殺人をたねに、いまだにゆすりにくる人物が現われるんだから。

不眠症

眠れないことが、ケイ氏の悩みだった。しばらく前に、ちょっとした事故で、頭をうってからのことだった。

不眠症の苦しさは、経験者でないとわからない。眠ろうと努力すればするほど、頭がさえてくる。数をかぞえたり、まくらをとりかえてみたり、寝がえりをうったり、便所へ立ったり、ありとあらゆることを試みる。だが、ほとんど役に立たない。あげくのはて、眠ろうとするからいけないのだ、とも考えてみる。しかし、いじの悪いことに、頭はさらにさえてきて、やがて夜がしらじらと明けてくる。

もっとも、大部分の不眠症は、このように「眠れない」と言いながらも、けっこう眠っているものだそうだ。しかし、ケイ氏の場合は、完全に一睡もできないのだった。

ラジオの深夜放送を聞きながら、その曲目とコマーシャルの品名を、全部メモに取ることもできた。それを十日ばかりつづけたが、なんの役にも立たないことを知り、やめてしまった。

どうしても眠れないのだが、それでいて、少しも疲れないことに気がついた。いろいろ考えたあげく、ついにケイ氏は、つまらない努力はしないほうがいいと、決心した。彼はある日、つとめ先の会社の社長に申し出た。

「社長。わたしをやとってくれませんか」

「これはまた、妙な申し出だな。すでに、きみはわが社の社員だ。それをいまさら、やとうとは……」

と、ふしぎがる社長に、ケイ氏は事情を説明したあと、

「というわけです。自宅に帰り、ぼんやりとしているより、仕事をしていたほうがいいのです。どうでしょう。夜警として、採用して下さい。ほかの会社でアルバイトするより、このほうが気が楽です」

「なるほど。前例のない話だが、たまたま、夜警の欠員が一人ある。きみならば、あらためて身もとを調査する必要もない。採用することにしよう。しっかりたのむ」

かくして、ケイ氏は採用になり、優秀な夜警としての働きを示した。ふつうの者なら、時たま居眠りぐらいはする。だが、彼には、そんなことがないのだった。

夜警の勤務が終わって朝になると、洗面所でヒゲをそり、昼間の社員としての仕事に移る。それがおろそかになることも、なかった。なにしろ、眠れないのだ。むしろ、

ほかの同僚たちのほうが、よく居眠りをする。

すぐにケイ氏は、自宅の不要なことに気がついた。帰宅することがないのだから。彼は自宅を他人に貸すことにした。

金銭的な点に関しては、よいことずくめといえる形だった。住居費がいらないどころか、家賃まで入ってくる。通勤費もいらないし、だいいち満員の車内で、長時間がまんすることもないではないか。また帰りがけに一杯、というむだな出費もなかった。しかも、月給は他人の二倍である。いや、二倍以上だった。遅刻することもなければ、昼夜における仕事ぶりが群を抜いている。ボーナスの際に、それらが考慮されるからだった。

しかし、悩みがないわけでもなかった。たまった金を、使うひまのないことだ。まあ、いずれ不眠症もなおり、普通の生活に戻れるだろう。その時のために、貯《たくわ》えておくつもりだった。

ケイ氏はひたすら、それを待ちのぞんだ。だが、いっこうに全快しそうになかった。眠りの楽しさを失ってから、ずいぶんになる。そのため、あこがれはますます高まってきた。

あきらめたつもりの眠りが、たとえようもなく、すばらしく思えてきた。いまや、押えきれない気持ちだった。

ケイ氏はついに、会社の休日の時を選び、まえから行きつけの医者を訪れ、治療をたのんだ。

各種の薬や方法が試みられた。しかし、どれも効果をあげなかった。頑固きわまる不眠症らしい。ケイ氏は、悲しそうな声で言った。

「先生。だめなのでしょうか」

「いや、絶望ではありません。まだ、とっておきの方法が残っています」

「どんなことですか」

「新しく輸入された、高価な薬です。これを使えば、全快は保証します。なおらなければ、代金はおかえししますよ」

「ぜひ、それをお願いします」

費用を聞くと、たしかに高価だった。いままで貯えた金額に匹敵する。だが、ケイ氏はそれをたのむことにした。ここまできて、いまさら、やめることはない。それに、不成功なら、代金はかえしてくれる。彼は金を払い、医者は注射した。

やがて、薬がきいてきたのか、頭がぼんやりとし、一瞬、なにかが逆転するような気分になった……。

目をあけると、医者がのぞきこみながら、声をかけてきた。

「うまくいったようですね」

ケイ氏は文句を言った。

「ちっとも、きかないじゃありませんか」

「ききましたよ」

「なぜです。まだ、この通り目がさめているでは……」

「それでいいわけです。あなたは事故以来、ずっと眠りつづけだったのですよ」

「あ。すると、いままでのは、なにもかも夢だったのか……」

と驚くケイ氏に、医者は説明してくれた。なんとか目をさまさせようとして、あらゆる方法を試みたが、すべてだめ。最後の手段として、高価な輸入薬を使ったのだそうだ。

その値段を聞き、ケイ氏はがっかりした。これから当分、眠らずに昼夜ぶっ通しで働かなければ払えない金額ではないか。

生活維持省

「課長、おはようございます。このところよい天気がつづいて、気持ちがいいですね。もっとも、午後になると、少しは暑くなるかもしれませんが」

あけはなたれた窓から流れこんでくる、若葉のにおいを含んだ風を受けながら、私は上役の机の前に立った。

「ああ、おはよう。きょうの仕事はこれだけだ」

と課長は無表情な目で、遠くの青空で育ちはじめている入道雲を見つめたまま言った。そして、机の上にある何枚かのカードを、片手で私の方に押しやった。

課長のこういうぶっきらぼうな態度は、なにもいまにはじまったことではない。私は気にすることもなく、そのカードを重ね、ポケットにおさめて席にもどり、となりの同僚に声をかけた。

「さあ、仕事にでかけよう。午前中はきみが運転してくれないか。午後は交代してぼくがやるから」

私たちが車に乗った時、同僚はハンドルの上に手をのせたまま聞いた。

「ところで、きょうの道順は、どういうことになるんだい」

私はポケットから、さっきのカードの束を取り出そうとしたが、考えなおして、こんな提案をした。

「そうだな。なあ、どうだろう。こんなに天気もいいんだし、道順なんて能率的なことを言わないで、ドライブをかねてゆっくり回ろうじゃないか。カードを引き出して、出た順番にさ」

「それもいいだろう。われわれは、きめられた仕事をその日のうちに終えればいい、役所づとめなんだから」

彼がうなずいたので、私は片手をポケットに入れて、カードを一枚だけ引っぱりだした。

「うん。まず国道をまっすぐに行くんだ」

同僚は車のエンジンを入れ、私たちは樹木にかこまれた赤レンガの建物、つまりわれわれの勤め先の生活維持省をあとにした。

「早く内勤に移りたいものだな」

「ああ、だけどあと二、三年、この外まわりの仕事をしないことには、内勤には移れないだろうな」

車は人影のまばらな街の大通りを、ゆっくりと進んだ。両側の街路樹は、舗道の上に静かな朝の緑の影を並べていた。その舗道の上のところどころには、うば車を押す母親、孫の手をひいた老人、小走りにかけまわる犬をつれて散歩している美しい婦人などが見られた。

赤と白のしま模様の日よけを出した商店街はまもなく終り、車は住宅地を進んだ。

「内勤になったら、結婚して、あんな家に住むつもりなんだ」

私は同僚に指さしてみせた。バラをからませた垣根のなかの、大きなニレの樹の下にある古風なつくりの住宅を。窓からは、静かな昔のメロディーを織るピアノの音が流れ出していた。ひいているのは、まつげの長い美しい女性だろうか、それとも、ほっそりした指を持った色白の少年だろうか。

あのような家に住めば、こずえに集って朝霧のなかで鳴きかわす小鳥たちの声を、めざめた時に、寝床のなかで聞くことができるだろう。また、ものうい午後のひとときには、幹のほらあなのなかの何匹かのリスたちの、木の実をかじる音もひびいてくるだろう。

「ぼくは、あんな家にするつもりだ」

同僚はハンドルをにぎったまま、あごの先で私に示した。それは、大きな池のほとりにある家だった。開いた窓からは、その家の主人らしい中年の男が、カンバスに絵筆を走らせているのが見えた。夜になれば鯉《こい》たちが軽い水音をたてて跳ね、月影がきらきらと散らばるのを、あの窓から眺めることができるだろう。

「平和だなあ」

「平和だ」

私たちは、しばらく黙り、車の進むのにまかせた。住宅もしだいにまばらになり、自動車はこんもりした森を持つなだらかな丘を、いくつか越えた。

恋人どうしなのだろうか、楽しげに語らいながら自転車を踏む若い二人が、われわれの車を追い抜いていった。同僚はそれを見送りながらつぶやいた。

「こんなに社会が平穏に保たれているのは、やはり政府の方針のおかげなんだろうな。国民一人あたりに、充分な広さの土地を確保しなければならないという」

それには、疑問のひびきがないでもなかった。私は言う。

「当り前の話だよ。きみも本で読んで知っているだろうが、あの昔の状態と、長い年月をかけてやっと方針が軌道に乗った今とをくらべてみれば、はっきりわかることじゃないか。いまでは、すべての悪がなくなっている。強盗だとか詐欺《さぎ》だとか、あらゆる犯罪が。それに、交通事故や病気だってなくなった。かつては、自殺なんかをするやつもいたんだってな。考えられないことだ」

「それはそうだ。たったひとつのことを除いたらね」

「だが、そのたったひとつまでなくそうと考えたって、無理だよ。必要悪は、もはや悪じゃない。それをなくそうとしたら、すべてがたちまち混乱の昔に戻ってしまうじゃないか」

彼はそれに答えず、ゆっくりとブレーキをかけた。見ると、道ばたの草むらから一匹のウサギが道路の上にとび出してきたのだった。そして、それにつづいて、息をはずませた少年があらわれた。

「坊や、もう一息じゃないか。元気を出してうまくつかまえろよ」

私の声に、少年はちょっと足をとめ、ふりむいて笑顔を見せたが、またウサギのあとを追って、草むらのなかにかけこんでいった。

きっとあの少年は、まもなくウサギをつかまえるだろう。そして、彼の家の夜の食卓は、ほほをほてらせて話す少年の高い声でにぎわうことだろう。

自動車をふたたび進めはじめた時、同僚が言った。

「どこかに、ガソリンを入れる所はなかったかな」

「ああ、このつぎの村に、たしかガソリンを売っている店があったはずだ。そこで入れよう」

車は、澄んだ水に青空を映しながら流れる小川にそってしばらく走り、村に近づいた。

「きょうは、こちらのほうでお仕事ですか」

小さなレストラン兼ガソリンスタンドの店をやっている老人は、私たちを見て目を伏せながら聞いた。

「ああ、もう少し先だ。ガソリンを入れてくれないか」

私たちを生活維持省の役人と知っているらしいその老人は、もう、それ以上なにも話しかけてこなかった。

「ごくろうさまです」

ガソリンを入れ終えた老人は、まばたきをしながら、私たちの車を見送った。

「さて、このあたりじゃなかったかな」

と同僚が聞いたので、私は、さっき出してシートの上にのせておいたカードを取りあげて読んだ。

「もう少し先に行って、左にはいるんだ」

　私たちは、車を少しせまい道に乗り入れた。

「このへんでとめよう。あの花壇のある家らしい」

　私たちは車をおり、明るい花がむれをなしている花壇を通って、その家の玄関にむかった。チャイムが涼しげな音をひびかせた。

「どなた」

　この家の主婦らしい健康そうに日やけした女性がドアをあけて、われわれを玄関に入れた。

「おたくに、アリサさんというお嬢さんがおいでですね」

「ええ、おりますが、どなたさまでいらっしゃいますか」

　それに答えるかわりに、私は左手で上衣のえりをちょっとずらし、胸につけている生活維持省のバッジを示した。

「ああ、死神……」

　一瞬、青ざめた顔色となって倒れかかった彼女を、同僚はなれた手つきで支え、すばやく気つけ薬の錠剤を口にふくませた。しばらく玄関の柱にすがりついていた彼女は、ふるえ声で小さく叫んだ。

「なにも、アリサを。あれまで育ってきた、かわいいアリサを」

私はそれに答えた。

「お気の毒とは思いますが、仕方のないことです」

「せめて、あたしをかわりに。お願いです」

「時どき、そうおっしゃるかたがありますが、それを聞きいれていたら、きりがありません。社会の秩序が、根本からひっくりかえってしまいます。ところで、アリサさんは……」

「いま近くの森に木イチゴをつみに行っていますが、せめて、家族と別れるひまぐらい、いただけませんか。いますぐでなくても、いいではありませんか」

「それも困ります。本人も苦しむし、みなさんも、かえって悲しみをますばかりでしょう」

彼女は指で涙を押えながら、つぶやくように言った。

「なんで、こんな方針に従わなければならないのでしょう。たまらないわ……」

「奥さん、いまさら、そんなことをおっしゃられても困りますね。よくご存知のはずではありませんか。人びとが、このような静かな広々としたなかに、のんびりと住むことができる社会。ほとんど働かないでも欲しい物を手に入れることができ、読書や園芸や音楽など、好きなことをしてすごせる社会。奥さんはそんな社会の生活になれきってしまって、ありがたみを忘れかけているのかもしれませんね。それに、犯罪でいやな思いをすることも、病気で苦しむこともありません。このすばらしい社会を維持するためには、みなできめた方針に従うよりほかに、方法がないではありませんか」

「だけど、なにもアリサが……」

「みんなわがままを主張して、この方針をやめたら、どうなります。たちまち昔のように、人口がふえ、このへんにだって、あっというまに、アパートがごたごたと立ち並んでしまいましょう。そして、どの窓からもうるさい赤ん坊のわめき声がもれ、広場には教育の行きとどかぬ悪童のむれがあふれるでしょう。道の上では、たえまない交通事故。現在がそんな時代だったら、アリサさんだって今の年齢まで生きられたかどうか、わからないではありませんか。それに、ひと時も気を抜けない生存競争でひきおこされるノイローゼ、発狂、自殺。いたるところにただよう、よごれきった空気。こうなれば、あとはもう一本道です。規格化された人間の大群、騒音をともなう刺激的な娯楽、それで行きつくところは、いつも同じ、戦争です」

私は、これまでに何百回となくくりかえしてきたことなので、一気にしゃべった。

「だけど……」

「地上の大部分を、文明とともに廃墟《はいきょ》にしてしまう戦争のほうがお好きなら別ですが、多くの人は、戦争を好きではありません。わたしだって、きらいです。それには、みなが公平にその負担を受けなくてはなりません。生活維持省の計算機が毎日選び出しているカードは、絶対に公平です。情実が入っているといううわさなどが立ったことは、ないはずです。そう、老人だからといって、子供だからといって、差別をすることは許されません。生きる権利と死ぬ義務は、だれにでも平等に与えられなければなりません」

「でも、でも……」

しかし、彼女には、もはや言うべき理屈のあるはずがなかった。この方針にはすべての人びとが従っているのだし、従わなければならないのだ。

玄関の外へ明るい歌声が近づいてきた。

「アリサさんですね」

主婦は力なくうなずいた。

「声をおたてにならないように。気がつかないところを、そっとやりましょう。そのほうが、本人のためにも楽ですから」

私は玄関の物かげに身をひそめ、内ポケットから小型の光線銃を出して、安全装置をはずした。そして、歌声と木イチゴのはいったかごの持ち主に、ねらいをつけた。どこからか飛んできた柔かいアブの羽音が、ひき金をひくまでの少しの時間を埋めていた。

とぎれた歌声のあたりに立ちこめていた煙が、そよ風にゆれて花壇の上を流れ、どこへともなく流れ去っていったのをあとに、私たちは自動車に戻った。ふたたび広い道に出た時、同僚が聞いた。

「さて、こんどはどこなんだい」

私はポケットから、つぎのカードを一枚ひっぱり出した。

「ああ、さっき通った小川のほとりあたりがいいな」

「なんだい、いいな、っていうのは。休むつもりかい」

そこで私は、手に持ったカードに記入されている私の名前を、彼に見せた。それから、ポケットの残りのカードと光線銃を出して、彼に渡した。

「午後も、きみに運転させることになってしまったな」

「なにも急がなくたっていいじゃないか。いちばんあとにしたって、いいだろう」

しかし、私は平和にみちた明るい景色を目にやきつけながら答えた。

「いいよ、自分できめた順番なんだから。ああ、生存競争と戦争の恐怖のない時代に、これだけ生きることができて楽しかったな」

悲しむべきこと

クリスマスの夜。大きな邸宅に住むエヌ氏が、ラジオの音楽に耳を傾けながらひとり酒を飲んでいると、となりの部屋でなにか物音がした。

そっとのぞいてみると、暖炉のなかから、ひとりの男が現われた。赤い服に赤ずきん。長ぐつをはいて大きな袋を背にした、白いひげの老人だった。あたりを見まわしている。

サンタクロースにちがいないとエヌ氏は判断し、声をかけた。

「よくいらっしゃいました。ごくろうさまです。しかし、わが家はけっこうです。小さい子供もいることはいますが、うちはまあ、お金持ちのほう。どうせなら、貧しく恵まれぬ子供のいる家をおたずね下さい」

するとと相手は言った。

「ことしは、例年とちがうのだ。金のありそうな家を目標に、やってきた」

「それはまた、なぜです」

「金をとるためだ。物わかりのいい人らしくて気の毒だが、仕方ない。さあ、金を出せ」

そして、拳銃《けんじゅう》らしきものをむけた。エヌ氏は、きもをつぶした。

「いったい、どういうことなのです。あなたはサンタクロースなのですか、泥棒なのですか。どっちなのです」

「両方だ。本物のサンタクロースであることは、少しもからだをよごさず、煙突からはいってきたことでもわかるだろう。空を走るトナカイのソリは、そとにおいてある。また、泥棒であることは、こうして金を要求していることでわかるはずだ」

たしかに服も袋もよごれていない。人間だったら、不可能なことだ。カーテンのあいだからそとをのぞくと、ソリをひいたトナカイたちが空中に停止していた。エヌ氏は、それをみとめて言った。

「本物のサンタクロースのようですね。お目にかかれて光栄です。しかし、なんで強盗まがいのことをなさるんです。なにか、お困りのようですな。事情によっては、お金をご用立てしましょう」

「ありがたい。では、すぐ下さい」

「まあ、わけを聞かせて下さい。こちらの部屋にどうぞ。お酒もあります」

エヌ氏は案内し、椅子《いす》をすすめた。サンタクロースは腰をおろし、話しはじめた。

「じつは、ご存知のように、わしは昔からクリスマスの夜、かわいそうな子供たちに、ずっとおくり物をくばりつづけてきた。みな喜んでくれている」

「その通りで、ありがたいことです。あなたは人類の心のともしびです」

「しかしだ、そのためには金のかかることを、理解してもらわねばならんよ。喜んでくれるのはいいが、金のことはだれも考えてくれない。わしのたくわえは、とっくのむかしになくなった。つぎには家具や装飾品を処分して、おくり物を買う金とした」

「そうとは知りませんでした」

「それからは借金だ。北のはてにあるわしの家を抵当にし、金を作った。かえすあてもなく、利息がたまってしまった。もうどこからも借りられないし、返済を強硬に迫られている」

「ああ、うかがっていると、わたしの胸が痛くなってきます」

「もはや万策つきた。あしたになると、わしは家から立ちのかねばならぬ。ソリは競売にされ、トナカイたちは肉屋に持ってかれる。こうなったら、背に腹はかえられない。さあ、金を出せ」

「もちろん出します。心から、ご同情しご協力いたします。しかし、それにしても、なんということだ……」

　エヌ氏はため息をつき、しばらく考えこんで、さらにつづけた。

「……まったく、あなたのようなかたを、そんな立場にしてしまうとは、許しがたいことだ。なげかわしいことです。義憤を感じます。胸のなかが煮える思いです」

　歯ぎしりをするエヌ氏を、サンタクロースは少しもてあました。

「わしは、早くお金をいただきたいだけです。そう大声で興奮なさることはありません」

「いや、これが怒らずにいられますか。世の中をごらんなさい。だれもかれも、あなたをだしに商品を売りまくっている。わたしはよく知っています。あなたのひとのいい点につけこみ、無断で肖像権を使っているのです。本来なら、あなたのために積み立てておくべきものです。それを正当に取るだけで、かなりのお金がはいります。そうすべきだ」

「そんな方法があるのなら、助かります。で、どこへ行けば、金がもらえますか」

「弁護士をたのんで裁判にかければいいのですが、それでは、急場のまにはあいません。今回は、あなたをだしに、いちばんもうけたところから取るべきです。Gデパートがいい。あそこは最大のデパートで、このクリスマス・セールでは、大変な売り上げを得ました」

「そんなところが、あったのですか」

サンタクロースは身を乗り出し、エヌ氏はうなずいた。

「そうですよ。今夜そこの金庫におはいりになれば、大金を手にすることができます。そうなさい。遠慮することはありません。あなたは報酬として、当然それをもらう権利があるのです」

「お言葉に従おう。そのほうがわしも、良心にせめられないですむ。なんだか勇気がわいてきた。よく教えてくれた」

エヌ氏はGデパートの場所を地図に書いて渡し、警備員への注意も教えた。

「それから、金庫を破る道具かなにか、お持ちですか」

「ああ、いちおう用意してきた」

サンタクロースは背中の袋をたたいた。金属製の道具の音がした。準備はととのえてきたらしい。エヌ氏はそとまで送って、激励した。

「しっかりおやり下さい。ご成功を祈っておりますよ」

「ありがとう」

サンタクロースはむちを鳴らした。トナカイのひくソリは、夜空へ浮き上がった。

そして、エヌ氏に教えられたGデパートのほうへ進んでゆく。しのびこむのがうまいサンタクロースだから、きっと成功するだろう。逃げる時は、いかに道路が閉鎖されても心配ない。エヌ氏は、いつまでも見送っていた。

「いいことをした。これでサンタクロースは、当分金には困らないだろう。貧しい子供たちも喜ぶ。それに、わたしだって、ありがたい。これで業界第一のGデパートが没落してくれれば、わたしの経営するデパートが、かわって一位にのしあがれるというものだ」

年賀の客

「あけまして、おめでとうございます」

まっ白な障子を通して、新春の日は部屋いっぱいにあふれていた。

「やあ、おめでとう」

床の間の前にすわった実業家ふうの老人にむかって、三十歳ぐらいの男が新年のあいさつをのべ、老人はそれにこたえた。

「旧年中は、ひとかたならずお世話になりまして、お礼の申しあげようもありません。おかげさまで、わたしの店も、なんとか立ちなおることができました」

「そうあらたまることは、ないよ。ことしは商売を、大いに伸ばしたまえ。そんなことより、まあ、一杯のんでくれ」

「はあ、いただきます」

杯につがれた酒は、暖かい部屋のなかに、いいかおりをたちこめた。遠くで、獅子《しし》舞《まい》の太鼓の音が流れていた。

「ほんとうに、けっこうなお正月でございますねえ」

「静かで、大みそかまでのあわただしさが、うそのようだ」

と老人は目を閉じ、ゆっくりとつぶやいた。去年を、そして若いころを、じっとなつかしむようにみえた。

「こんなことを、お聞きしていいかどうかわかりませんが……」

若い男は、口ごもりながら話しかけた。

「ああ、いいとも。なんでも言ってみたまえ」

「本当に失礼なことかもしれませんが、じつは、あれほど面倒をみていただけるとは、思いもよりませんでした」

「きみが若くて、熱心だったからだよ」

「だけど、じつを申しますと、こちらにおうかがいする前に、いろいろな人に相談してみたのですが、あまりひとの世話をなさらないかただから、おうかがいしても無駄だろうと、おうわさする人が多うございました」

老人は目を閉じたまま、言った。

「ああ、事実そうだったようだ」

「それなのに、どうしてわたしがおうかがいした時に、あんなに簡単に承知して下さったのか、ちょっとふしぎに思えて仕方ありません。よろしかったら、お話し願えませんでしょうか」

「それはきみ、としのせいだよ。としをとると、ひとの世話をしたくなるものだよ」

「そうですか。わたしにはわかりませんが、そういうものですかねえ」

男は不審そうな声で言って、自分で杯に酒を満たした。しばらく沈黙がただよい、彼は話題をうつそうとして、床の間の富士の画《え》に目をやり、落款《らっかん》を読もうとした。しかし、その時、老人は目を開いて、男の方に顔をむけた。

「話してしまおうかね」

「お願いできれば……」

男はすわりなおして、ちょっと頭を下げた。

「話してしまえば、少しは気が晴れるかもしれない。きみは、生まれかわりということを信じるかね」

突然の質問に、男はちょっととまどった。

「さあ、考えたこともありませんが。だが、まだお元気なのですから、そんなことをお考えにならなくても……」

「まあ聞いてくれたまえ。わたしはきみも知っての通り、若い時から、金と事業にとりつかれていた。世の中で信じられるのは金と力だけだと思って、そのためには、他のすべてを犠牲にしてきた」

「ごもっともです。そのお努力によって、今日の地位が築かれたのでございますね。うらやましいことです」

「だが、ある時、こんなことがあったのだ。さあ、もう三十年も昔になるだろうか。ある日、みすぼらしい男が、会社にわたしをたずねてきた」

「見たこともない人だったのですか」

「いや、ちょっと気がつかなかったが、わたしの学生時代の友人だったのだ。そして、勤め先をくびになったから金を貸してくれ、と言いだした」

「それで、どうなさいました」

「だが、話を聞いてみると、とても返せそうにない。わたしは、その当時は、もうからないことに金を出すのを、罪悪のように考えていたし……」

老人は、男を見つめて弱々しく笑った。

「しかし、金を貸さなくても、責任はありませんでしょうに……」

「その男は、四、五回もやってきただろうか。いつも、ちょっと肩をすくめ、金をくれよ、とねだっていた。妙な身ぶりだったな。しかし、毎回ことわっていると、そのうち来なくなった」

「死んでしまったのさ。そういえば、どこかからだでも悪かったのか、なんとなく影が薄いやつだったな」

「あんまり、いい気持ちではございませんね」

「最後に来た時、あいつはこんなことを言っておった。あなたは金しか信じないようだが、わたしは生まれかわりを信じるとね。こんど生まれてくる時は、金に不自由しないように生まれてくるつもりだ、ともね。変なことを言うやつだとは思ったが、あのころはわたしの仕事はどんどん大きくなっている時だったし、わたしの信念は変りもしなかった」

「それが、去年になって変った、とおっしゃるわけですね」

「ああ、きみがはじめて、わたしのところに来た日からだよ」

老人は、こう言い終えて、ふたたび目を閉じた。その顔のしわは、思いなしか少し深くなったように見えたが、それは日が傾いたせいかもしれなかった。

男は口に近づけていった杯を歯にぶつけて、ひざに酒をこぼしたが、ぬぐおうともせずに、あわてて言った。

「そ、その男は、どんな顔つきだったのです。わたしに似ていたとでも……」

老人の答えない静かさを、廊下の足音が破り、不意にふすまがあけられ、華やかな色彩がとびこんできた。男はわれにかえって、

「お孫さんでしたね。すっかりかわいらしくなって」

と話しかけたが、その、晴着をつけた少女は、老人のそばにすわり、わがままそうにひざをゆすりながら、

「ねえ、おじいちゃん。お金くれない」

とねだり、そして、ちょっと肩をすくめた。

老人はひざをゆすられながら、男に言った。

「きみがわたしのところに、はじめて来た日の朝、どうして覚えたのか、これがこんなねだりかたをはじめてねえ……」

ねらわれた星

「こんどは、あの星の連中をやっつけて楽しもうぜ」

金属質のウロコで全身をおおわれた生物は、彼らの宇宙船のなかで、仲間にこう言った。

「よかろう」

ほかの連中もウロコを逆立て、からだをくねらせながら、うれしそうに応じた。その指さすところには、月をひとつ持った緑の惑星がある。

「どうだい、ようすは」

彼らは高性能の望遠鏡をあやつって、その星の上をのぞいてみた。

「やあ、いるぞ、いるぞ。二本足を使って、ぞろぞろ動きまわっているぞ。ところで、今度はどういう方法で、やっつけることにするか」

「そうだな。熱線で焼き払うのはやったことがあるし、このあいだの星では、凶暴ガスを吸わせて、おたがいに殺しあわせる手を使ってしまった。なにかもっと、刺激的なやっつけ方はないものかな」

「ああ、すごいやつでな……」

彼らは攻撃方法を相談しあった。そのうちの一人が小型の宇宙艇に乗って、地上にむかっていった。数時間ほどして戻り、報告がなされた。

「いってきました」

「ごくろう。うまくいったか」

「一匹つかまえて、その皮をはいできました」

「そうとう暴れたろう」

「もちろんですよ。ものすごい悲鳴をあげての、抵抗でした。だが、われわれのほうが力は強い。それにしても、この星のやつら、なかなか死にませんね。皮をはいでも、まだ動きまわって……」

「そいつは面白かったろうな。ところで、これからどうする」

「いま、皮を研究班に渡してきました。それを溶かすビールスを作らせています」

「それはいい。やつらの皮膚がビールスにおかされ、どろどろに溶けるのを、われわれはここから見物できるわけだな。早く見たいものだ」

彼らは期待でわくわくしながら、待った。そのうち、研究班が完成を知らせに来る。

「できました」

「よし、さっそくばらまこう」

彼らの宇宙船はその星を一周し、ビールスをまんべんなく、まき散らした。

「さあ、もうすぐ、やつらののたうち回って苦しむところが見られるぞ」

「そら、きいてきた……」

しかし、彼らは不満げな声で話しあった。

「おかしいぞ。やつらはあわてているが、だれも死なないじゃないか。死なないどころか、なかには、むしろ喜んでいるやつもいるようだ」

「変ですね。なんだか薄気味わるくなってきた。もうやめて、引きあげましょう」

「ああ、べつの星にいこう」


彼らの去ってゆく星、地球上では、その時しかつめらしい顔の学者たちが、だれもかれもが突然はだかになった現象を解決すべく、調査にとりかかりはじめていた。

冬の蝶《ちょう》

きびしい寒さが、空気を水晶のように変えてしまう季節。雪は夕ぐれのなかを硬い粉となって降りはじめ、その足並みを早めていったが、家のなかは初夏のすがすがしい明るさにみちていた。

「あなた。ちょっと、いらっしゃってよ……」

若々しい妻の声は、家じゅうに行きわたった。大声で叫んだのではなかったが、各部屋にとりつけられてあるインターフォンによって、声はどの部屋にもやわらかく運ばれて行くのだった。

「ああ、いま行くよ」

夫は返事を送りかえし、熱中していた草花をそのままにして、立ち上がった。机の上のプラスチックの箱のなかでは、強いライトを浴びて、十センチぐらいの高さの小さなヒマワリが花をつけて並んでいた。彼は、これのもっと小さい変種をつくり、五センチぐらいで花を持たせるようにし、友だちに自慢するのを一番の楽しみとして、夢中になっているのだった。

「やれやれ、なんの用なのだろう」

彼のつぶやきにこたえるように、壁の虹色《にじいろ》の光は、彼に先立って廊下を流れた。

「なんだ、また鏡の部屋か」

壁を流れてきた光は、ひとつの部屋の扉の上でまたたき、止まり、彼の近づくにつれ、扉は左右に開いた。

「どう、これ……」

妻は鏡にむかって、浮き浮きしていた。彼女の向っている鏡のまわりを、小さなスクリーンが九曜星のようにとり巻いていて、そのひとつひとつに、後姿、左右の横や斜め前からなどの姿が、それぞれ写っていた。それらは、まんなかの彼女が髪に手をあてると同時に、いっせいに動いた。部屋の各所に装置されているテレビカメラの働きなのだった。

「なかなか、いいじゃないか。それが今の流行なのかい」

夫は、やさしく声をかけた。

「ほら、ごらんなさいよ、この服……」

妻は、ゆっくりと部屋のなかを歩きまわった。ゆるやかなローブは、まっ青な海の色。だが、ゆれ動くにつれ、その模様のたくさんの蝶が光を帯び、いっせいに羽ばたきはじめるのだ。

彼女は、鏡と夫とに交互に目をやりながら小声で歌い、軽くとびはねた。すると蝶々たちも、群をなしていそがしそうに飛びまわった。

「きれいでしょ。うれしいわ」

彼女は夫にかけより、とびついた。蝶々たちは、しばらく羽をやすめ、キスの終るのをおとなしく待った。

「まだ出かけるには早いよ」

彼は、壁にとりつけられている、宝石を星座の形にちりばめた時計を見ながら、今夜のパーティーについてふれた。

「ええ。だけど、早く着て見たかったのよ」

妻はちょっと考えて、言い足した。

「そうだわ。モンに見せてやりましょう」

モンとは彼らのペットト、一匹のサルのことだ。

「モン……」

「モン」「モン」

声は部屋部屋に伝わっていった。しばらくして扉が開き、足と手を七三に使いながら、サルのモンが入ってきて、すみの椅子《いす》にとび乗った。

「モン。どう……」

妻はモンのそばでくるくる回り、服の蝶を飛ばせて見せた。モンはくぼんだ目の底に悲しそうな色を浮かべ、無表情に蝶を見つめた。蝶たちは得意げに服の青い海を飛びまわり、モンをあざけった。

夫は、ちょっと手持ちぶさたになり、無意識にタバコを出していた。無害のロチ・タバコを口にくわえ、ケースを閉じると、その音に応じて部屋の各すみにある決してねらいを誤ることのない熱線放射器が、さっと熱線を出し、火をつけた。

煙はゆれ、ひろがり、部屋に香気をみたしはじめた。だがモンには好ましいかおりではないのか、煙が近づくと顔をしかめ、弱々しくせきをした。

「それじゃあ、もう少し花の世話をしてくるよ」

彼はタバコを投げ捨てて、部屋を出ていった。床のじゅうたんはさざ波をたてて、灰と吸殻《すいがら》とをすみに運んで始末し、静かにもとに戻った。

その静かさを破るように、妻はふたたび鏡にむかい、ボタンを押した。春霞《はるがすみ》のような音楽が四方の壁から流れはじめ、彼女はそれに包まれて化粧をつづけた。忘れられたモンは椅子の上で、ひざにあごを乗せ、目をつぶっていた。音楽に聞きほれているのだろうか、聞くまいとして眠ろうとしているのだろうか。

時間がおだやかに流れ、彼女は化粧を終えた。

「さあ……」

彼女は蛍光のマニキュアをした指で、真珠色のボタンを押した。これを押すと、足もとからゆるやかに香水の霧がわきあがり、化粧の最後の仕上げが行われるのだ。

「あら、どうしたのかしら……」

霧は出なかったし、鏡のまわりのスクリーンはぼやけはじめた。あたりは急に暗くなり、部屋のなかは窓から入る、夕闇《ゆうやみ》の持つほんのわずかの光だけになってしまった。

「あなた……」

だが、声はどの部屋にも、とどかなくなっていた。

「あなた……」

気がついた彼女は声を少し高め、小走りに部屋を出ようとした。電気の来なくなった扉は、開きっぱなしになっており、廊下にはまったく光がなかった。彼女が手さぐりで花の部屋にむかうとき、服の蝶たちは、光を帯びて楽しそうに舞いはしたが、それも廊下を照らす役にはあまりたたなかった。

「あなた……」

「ああ、ここだ。いったい、どうしたんだろう。こんなことが起るはずは、ないじゃないか」

「だけど、みんな止まっちゃったのよ。どうしましょう」

「どうしましょうって言ったって、ぼくにもわからないよ。困ったな、せっかくのヒマワリが、だめになってしまう。テレビもラジオも、それに電話まで、みんな動かない」

「じゃあ、だれかに聞くわけにも、いかないわね」

「うちだけだろうか」

二人は寒さのしのびこみはじめた窓に近より、そとに目をやった。いつもなら夕ぐれとともに輝きを増す少しはなれた家々も、いまは冷たく雪に彩《いろど》られて、濃い夕闇のなかで死んだように横たわっていた。遠くの繁華街のあたりの空にも、明るさはなにもなく、うそのようなさびしさが占めていた。

「うちだけじゃないわ。町じゅうね」

「ああ、こんな時には、宇宙船なんか着陸できないから、大きな事故が起るだろうな」

「いやねえ」

わずかに残っていた明るさも、しだいに窓から去り、かわりに寒さがガラスを通りぬけてきた。

「寒いわ」

妻は蝶の模様のローブをかき合わせ、鳥肌をたてた。

「ほかに、着る物はないのかい」

「まえの服は、けさ溶かしちゃったでしょう。下着もこれだけなの」

「少しとっとけばよかったな」

「そんなこと言っても、無理よ。配達パイプですぐに手に入るのに、余分においておく家なんてないわ。それに、だれもこんなことになるなんて、考えもしないもの」

妻はこう言いながら、手さぐりで、机の横のボタンに触れた。いつもならコップがあらわれ、それに熱い濃いコーヒーが注がれるのだが、いまは音もたてなかった。

「すぐになおるだろう」

夫はあてもなく言い、タバコを口にし、ケースをパチパチ鳴らしたが、どこからも熱線は来なかった。

暗さのなかで、服の蝶たちと、ツメのマニキュアだけが、時どきぼんやりと光って動いた。すべてが止まり、静かさだけがあった。二人は長椅子に並んですわり、窓のあたりを見つめていた。

「雪って、降る時に音をたてるのね。こわい」

生まれてから経験したことのない静寂のなかで、二人は雪のつもる音を聞いたように思えた。それは、どこからともなく迫ってくる、運命の足音のようでもあった。

「そうだ。地下のガレージの自動車のなかに、携帯ラジオがあったな。とってくるよ」

「早く戻ってきてね」

夫は壁を伝いながら、部屋を出ていった。残された妻は、寒さと心細さを忘れようと、立ち上がって小さく踊りの足取りを踏んだ。蝶々たちは、闇のなかを、めまぐるしくさわいだ。

「あったぞ」

声がし、オレンジ色の小さな灯のともったラジオを手にした夫が、足で床をすりながら戻ってきた。

「なにか聞こえる……」

二人の見つめるオレンジ色の盤の上を、針がゆっくりと回ったが、なんの物音もしなかった。

「故障かしら」

「そんなはずはないよ。おとといのドライブの時は、よく聞こえたじゃないか」

「それじゃあ、どこの放送局の電気も……」

夫は、あわててダイヤルから手をはなした。完全な機能を持ちながら、なんの役にも立たないでオレンジ色に光っているこの機械が、いまは気味わるく思えたのだ。

「ねえ。お隣りまで行ってみましょうよ」

妻は泣きそうな声で言った。

「だけど、どうやって行くのだい。道路の電気だって止まってるのだから、自動車は動かないよ。歩いて行くっていったって、戸をあけたら、たちまちこごえてしまう。それに、そんなことして行ってみたって、うちと同じことだよ」

「それなら、どうしたらいいの。寒い……」

妻は低い声で泣いた。

「もうすぐ、みんなもとの通りになるよ。さあ、目をつぶって」

夫はやさしく抱きしめたが、彼女の冷えたからだを、窓ガラスを越え床をはい、限りなく迫ってくる寒さから防ぐことはできなかった。それに、彼のからだもはい寄る寒さのために、つめたくなる一方だった。

「おなかがすいたわ」

　妻は弱々しい声で言った。

「さっき、どのコックもひねったけど、なにも出ない。こうして待っている以外、どうしようもないのだよ」

　どちらからともなく、くちびるをよせあった。壁の時計は止まっていたが、時間はつめたく流れた。

「眠いわ」

「ああ、ぼくも」

「静かで、こんな気持ちのいい眠りは、はじめてね」

　二人は肩にくびをもたせあって、ささやいた。

「悪い夢だよ。目がさめたら、なにもかもすっかりもと通りになっているよ」

「パーティーも、香水の霧もね」

「ああ。だけど、モンはどうしたろう。どこかの部屋で寒がっているのじゃないかな」

「モンには毛皮があるからいいわね」

二人は、とぎれとぎれに話し、いつしか眠りにはいっていった。ふたたびさめることのない眠りとは知らずに。ラジオのオレンジ色のかすかなあかりを受けて、蝶々たちは静かに羽を休め、時どき、思い出したようにかすかな動きをし、そしてまったく動かなくなった。光のとどかない机の上では、ヒマワリたちが、ゆっくりと頭をたれ、音もなくしおれていった。

死のとばりが、この家を包んだ。おそらく、どこの家をも。

だが、やわらかな音が、この家のなかを動きまわりはじめた。モンが、この家の主人となった喜びを示しているのだ。電気のちらちらした光にからかわれることのなくなったモンは、どこにかくしてあったのか、食料を運びだして、来客用の部屋のまんなかにつみあげた。

そして、もぎとった椅子の脚を持って、貴重な骨董品《こっとうひん》だった木製の机の上に飛び上がり、両手の間にはさんで、キリのようにもみはじめた。

窓の外の漆黒の闇のなかを舞う雪をよそに、だれも見る者もない暗さのなかで、モンは楽しげに仕事をつづけた。

デラックスな金庫

私はほとんど全財産をつぎこんで、豪華きわまる大金庫を作った。ばかなことをするやつだ、と言うやつもある。だが、そんな連中だって、これとあまり大差ない。自動車を買って、いままでの倍の時間をかけて通勤し、とくいがる者。時間にルーズなくせに、宝石をちりばめた高級時計を身につける者。趣味となると人は盲目的に金を使い、後悔しない。私の場合だってそれと同じだ。

家は手放してしまったので、アパートの一室に住んでいる。しかし、世の中には金庫を盗もうと考える者などいないから、外出の時も心配ない。

私はひまさえあれば、金庫をみがくことに熱中する。鋼鉄製だが、外側は銀張りなのだ。ためつすがめつ眺め、少しでも曇りをみつけると、やわらかい布でこする。やさしく、そっと。ちょうど、多くの人が美人のはだに触れるように。それにつれて、金庫の表面は輝きをまし、私の姿をうつしはじめ、私は悦に入る。

楽しいその仕事が終り、夜となると、金庫のほうをむいてベッドの上に横になり、満足感とともに眠りに入る。じつにいい趣味ではないか。

「おい、起きろ」

ある夜、とつぜんゆり起された。目をあけてみると、そばに覆面の男が立っていて、私にナイフをつきつけている。

「金庫にだけは、さわらないでくれ」

と、私は思わず叫んだ。だれだって変なやつに趣味の品をさわられるのは、いやだろう。しかし、気がつくと手足をしばられていたので、それ以上、どうすることもできなかった。

「声を出すな。前から目をつけていたのだ。さあ、そのあけ方を教えろ」

「しかし、なかには……」

「静かにしろ」

男は、私にサルグツワをかけて言った。

「さあ、紙にダイヤルの番号を書け」

しかたがない。私はしばられたまま指をぎこちなく動かし、それを書いた。男は乱暴な手つきで、ダイヤルをまわした。目をそむけたくなるような気持ちだ。

オルゴールの「金と銀」の曲とともに扉が開き、なかの照明がついた。まばゆい黄金色の光が、そとにあふれ出た。金庫の内側が、金張りになっているからだ。私のように凝った趣味の者は、このように見えないところに金をかける。

男は目を細め、その光に魅せられたように思わずなかに歩み入る。それにつれ、扉が静かに閉じる。赤外線利用のこのしかけも、私の自慢のものである。

「なんだ、なにもないじゃないか。あけろ」

なかから、かすかに声がした。だが、しばられていてはあけようがない。つづいて、あばれるけはいがする。うまいぐあいだ。あばれてくれれば自動的にサイレンが鳴りだす装置も、ついているのだ。すぐにだれかが、とんでくるだろう。

これでまた、犯人逮捕の金一封がもらえるというわけだ。そして、なかの金張りの厚さもふえる。どうだ、実益だってちゃんと、ともなっているではないか。

鏡

「きょうは十三日の金曜日だな」

部屋の片すみにある置時計の示している日付と曜日とに目をやりながら、夫が言った。

「つまらないことを気にするのね。でも注意はするわ。今夜は、少しおそくなるかしら。そうなったら、帰るのは十四日の土曜日よ」

妻は笑いながら、

「それまでに、面白いものが手に入るかもしれないぜ」

と言う夫の声をうしろに、夕ぐれの街に出ていった。

二人は、ある高層マンションの一室に住んでいた。夫は商事会社の課長、子供がないままに、妻は結婚前からの声優の仕事をつづけていた。それで、時には録音のつごうなどで、夜に出かけなければならないこともあったのだ。

「今夜こそやってみよう。今夜をのがすと、また数カ月さきだ」

夫はタバコを吸いながらテレビを眺め、夜のふけるのを待った。ミュージカル、西部劇……。四角い画面の上でにぎやかに変化がつづき、時間が移った。

「そろそろ、準備にとりかかるか」

彼は立ち上り、洗面所にかかっている鏡をはずし、部屋の鏡台のそばに持っていった。そして、ポケットから横文字で書かれた手紙を出し、読みながら鏡台を少しずらした。

「まず、地球の磁力線に対して、角度をつけます……か。なんだ、ほとんど動かさなくてもよかったな」

小さな磁石を鏡台のふちにのせ、手紙に書かれている角度とあわせた。

「つぎに、二つの鏡の面を平行にしますが、この間隔は……」

彼は物差しをあてながら、二つの鏡の面を平行にしようとした。これは少しやっかいなことだったが、椅子《いす》、箱、針金などを利用して、なんとかできた。彼は出来ぐあいを確かめるように、のぞきこんでみた。鏡はたがいに映しあい、深い深い奥まで長い廊下を作っていた。

「これでよし、と。そうそう、聖書がいるんだったな……」

彼は学生時代に買った聖書を本棚の上から取り出し、ほこりを口で吹きながら、装置のところまで戻った。

「……この方法で、悪魔をつかまえることができます。わたしも、子供の時にやってみました。試みられるのはけっこうですが、あまり面白いものではありません」

彼は手紙の残りを全部読んだ。しかし、いったい悪魔がどんなものか、どんな目にあったのかについては、なにも触れてなかった。

この手紙は彼が学生のころ、スペインのペンフレンドから受け取った手紙だった。若いころはだれしも、理屈で納得できないことを試みようとはしない。彼ももちろんそうだったが、このところあまりに合理的すぎる会社の仕事にやりきれなさを覚えたので、箱のなかをひっくり返して、この手紙をさがし出したのだ。

「さあ、時間だ」

彼ののぞき込んだ腕時計の長針と短針は、十二時のところで重なりはじめた。

「やっぱり本当だった」

彼の低いつぶやきの通り、鏡の奥に、小さく遠く、黒い影がにじむように浮かんだ。

「やってくるぞ」

その黒い影は、一秒にひと足ずつ、並んでいる鏡を越えて、近づいてきた。彼は聖書を開き、身がまえして待った。

12
9
6

「あと、五つ、四つ、三つ……」

小さな悪魔は、なおも歩きつづけた。

「それっ、つかまえたぞ」

彼は叫んだ。鏡台の鏡から出て向いの鏡にとび込む一歩の間に、彼は聖書をぱっと閉じて、悪魔のしっぽをはさんだのだ。悪魔はキュッというような声を出して、宙にぶら下げられた。彼はすばやく鏡の向きを変え、悪魔が逃げこめないようにした。

「いったい、どんな顔をしているんだ」

彼は聖書からしっぽを抜き出し、手でそれをつまんで、明るい机の上に持っていった。長いしっぽをべつにすれば、形は人間に似ていたが、ネズミよりいくらか大きく、ネコよりはいくらか小さかった。

万年筆のようにつやのある黒さで、耳だけが特に大きかった。だが、顔つきは、悪魔という名に似つかわしくなく、なんとなく哀れな、ものさびしいものだった。

「助けて下さい。逃がして下さい」

かん高い、細い、その声も、また、あまり景気のいいものではなかった。

「これが悪魔とはねえ。もう少し堂々としたものかと思っていたのに」

彼は、期待を裏切られた思いだった。

「お願いです。帰らせて下さい」

　ふたたび哀れな声を出した。

「そうはいかないよ。せっかく、つかまえたんだ。毎日くだらない仕事で、くさっていたところだ。ひとつ、なにかやってみろ」

「だめです。なにもできません。逃がして下さい」

「うそをつけ。悪魔に、なにもできないはずはない。なにかやるまで、絶対に帰さない」

　悪魔は悲しそうな顔をした。彼はそれを見ているうちに、なにかしらいじめてやりたくなり、頭をこづいた。悪魔の表情はさらにおびえたものになり、からだをすくめた。

「おい。なにかやってみろ、と言ってるんだ」

「本当に、なにもできないのです。いじめないで下さい」

　彼はその声を聞くと、残虐な衝動がいっそう高まり、しっぽをつかんでひと振りし、壁にぶつけた。キューッという悲鳴とともに悪魔は床の上にころがったが、弱々しく身を起した。彼はそれをけとばした。しかし、悪魔は頭を下げるばかりだった。

「あなた、なにをしているの。ネズミでも出たの……」

帰ってきた妻は、棒でなにかをたたいている夫に声をかけた。

「いや、悪魔だ」

「変なものを、もらってきたのね」

「もらったのじゃない。ここで、つかまえたのさ」

夫は悪魔のしっぽをつまんでぶら下げながら、スペインの伝説どおりやって悪魔をつかまえたことを簡単に話した。

「そんなものをいじめて、大丈夫なの」

妻は、ちょっと心配そうに聞いた。

「悪魔がこんなにだらしないものとは、知らなかった。まあ、明るいところで見てごらん」

夫は電灯の下に持っていった。

「ほんと。ずいぶん情ない顔つきね」

「そうなんだ。なにもできないとさ」

夫は悪魔の大きな耳を、指でひねった。

「そんなにいじめないで下さい。帰らせて下さい」

その声は、妻の加虐性をも誘った。

「ちょっと面白そうね。あたしにもやらせてよ」

妻はもう一方の耳をひねった。それに応じて、悪魔はさらにみじめに顔をしかめた。

「なにかやって見せるまで、箱のなかに閉じこめておこう」

「壺のほうがいいわ」

妻は台所から、ジャムを入れるのに使った口の広い壺を持ってきて悪魔を入れ、ふたをした。

「息が出来なくなるかしら」

「その心配はいらないよ。悪魔は、絶対に死なないそうだ」

「それじゃあ、えさもいらないのね」

「小鳥を飼うより、よっぽど簡単だ」

二人は顔を見合わせて、楽しそうに笑った。

つぎの朝になっても、悪魔はちゃんと壺のなかにいた。朝食を終えた夫は、タバコをすいながらふたをあけ、言った。

「おい、なにかやってみろ」

「そんな無理な……」

悪魔の声は、語尾がかすれた。夫は、その耳をつかんでひっぱり出し、タバコの火を背中に押しつけた。キューキューという泣き声を出して悪魔は身をもだえたが、なにも手むかいはしなかった。

「だらしのない悪魔だ」

そして、またも壁になげつけた。だが、悪魔は死にもせず、床の上にじっとうずくまり、情なさそうに上目づかいに見あげていた。

「あなた、会社におくれるわよ。あとは、あたしにやらせてよ」

妻は夫に声をかけた。

「もうそんな時間か。いいか、そいつを逃がすなよ」

夫は会社にでかけた。妻はその日一日じゅう家にいたが、悪魔をいじめることで、退屈しなかった。

こうして、二人はだれも持っていない、すばらしいペットを手に入れた。しかし、このペットは、悪魔という名に反して、二人に幸福をもたらした。

「おい、部長の辞令をもらったぞ。その悪魔のおかげだ」

「いったい、どうしたのよ」

「自分では気がつかないうちに、会社でのぼくの評判がたいへんよくなっていたのさ。どんなに上役におこられても、それを部下にやつあたりしないのは、ぼくだけだそうだ。そう言われれば、そうかもしれない。うっぷんは全部、こいつで晴らせるんだからな。どんなにいやなことがあっても、こいつさえいじめれば、それを次の日に持ち越すことはない。考えてみれば、部下に当り散らしたり、安酒やパチンコなんかで気晴らしをしている連中は、哀れなものだな」

「そういえば、あなたはこのごろ、あたしにずいぶんやさしくなったわね。ちっとも怒らなくなったじゃないの」

二人のうれしそうな話を、悪魔はしっぽを椅子の脚にしばりつけられ、おどおどしながら聞いていた。

二人のうっぷんは、なによらず悪魔で晴らされ、そのうっぷんの程度は、いじめ方のひどさで知ることができた。

「くやしい。早くそれを貸してよ」

ある日、妻は帰ってきて、ドアをしめるなり叫んだ。

「なんだ、どうしたんだ」

だが、妻はそれに答えず、ハンドバッグから太い針を取り出し、悪魔のからだに力一杯つき刺した。キューキューという悲鳴とともに、悪魔は、

「なんとひどいことを……」

と苦しそうにうめいたが、妻は針をひき抜き、つき刺し、何回もくり返した。

「ああ、さっぱりした」

「いったい、なにがあったんだ」

「こんどはじまる、新番組のいい役がとれなかったのよ。だけど、考えてみれば仕方がないわね」

妻はもうけろりとして、いつもと変らない明るい口調で言った。

「その針は、どこから持ってきたんだ」

「帰りがけに、いちばん大きい針を買ってきたのよ」

「手回しのいいことだな。そろそろ食事にしよう」

二人は壺のなかに悪魔をほうり込み、楽しく食事についた。

夫も部長に昇進してから、仕事上の苦労がふえたのか、帰ってからのうっぷんの晴らし方が大きくなった。ある日、ハンマーを買ってきたこともあった。だが、悪魔は頭を砕かれても、壺のなかで一晩すごすと、つぎの朝にはもと通りになって、うずくまっていた。

妻が大きなハサミでしっぽを少しずつ切りとっていっても、やはり一晩たつともとの長さになっている。二人は、このペットをだれにも話さなかったし、もちろん、見せもしなかった。こんなに刺激的で楽しく、しかも役に立つペットを、ひとに取られたら一大事だからだった。

このようにして、何カ月かたったある夜。妻は寝る前に鏡台に向い、髪にブラシをかけていた。悪魔はそのそばで、しっぽに結び目を作られて痛がっていた。彼女はなにげなく、ブラシをかけ終った髪を見ようとして、手鏡をとって頭のうしろにかざした。

その時。悪魔はとつぜん、飛び上がって、手鏡のなかにとび込んだ。

「たいへんよ」

妻の叫びに、夫はあわてててやってきた。

「どうかしたのか」

「悪魔が逃げたのよ。ちょっと手鏡を動かしたら、このなかに入っちゃったのよ」

夫は鏡を向い合わせてみたが、うまく間隔のとれた時には、もう深い奥で、小さく消えようとしている時だった。

「とんでもないことをしたな。これから、どうするつもりなんだい」

「だって、こんなところから逃げるなんて、知らなかったもの」

「ちゃんと、前に話しておいたはずだ」

「そんなこと、聞かなかったわよ」

二人はしだいに声を高め、ののしりあった。もう、そのうっぷんを晴らしてくれるものはなかったが、二人の身に深くしみ込んだ習慣は消えてはいなかった。いつの間にか、夫の手には、ハンマーが、妻の手には、ハサミがあった。

血が鏡の破片のちらばる床の上に流れつくし、うめき声が出つくして静かになった部屋の片すみでは、置時計が十三日の金曜日のカレンダーを音もなくまわし、もはやだれも見るものがないのに、つぎの日付と曜日とを、なにごともなかったように出し終えた。

誘《ゆう》拐《かい》

電話のベルが、待ちかねていた博士の前で鳴った。

彼は、それに手をのばした。受話器の奥の漆黒から、低い声が伝わってきた。

「もしもし、ご主人はおいでですか」

「ああ、わたしだが」

「有名なエストレラ博士に、まちがいありませんか」

「まちがいないが、いったい、どなたです」

「それは申しあげられませんが、用件については、およそ、お察し下さったのではないでしょうかね」

声の終りは、冷たい笑いに変った。

「あっ、ではおまえが……」

と博士は声をとぎらせた。相手は平然とした声。

「その通り。博士のお子さんは、ちゃんとここでおやすみになっていらっしゃいます」

博士は声をふるわせた。

「わたしの大切な子供を連れ去るとは、どういうつもりだ。まだ、生まれて一年にもならない子を……」

「そんなに大切なお子さんなら、自動車のなかにおいて、用たしなんかに行かないことですな」

「あ、やはり、あの時につれ出したのか。ちょっと雑誌を買いに下りただけだったのに。さては、前からねらっていたのだな」

「まあまあ、博士。じたばたしないで、科学者らしく現実を認めたらどうです」

「いったい、なんで、そんなことをしたのか。わたしにうらみでもあるなら、わたしに対して行なったらどうなのだ。卑怯《ひきょう》な……」

「いや、わたしには博士へのうらみなどありません。むしろ、尊敬しているぐらいです」

「では、どういうつもりなんだ。妻も悲しみのあまり、ねこんでしまった」

この時、相手の声は気がかりらしい響きをおびた。

「まさか博士、警察に届けたのではないでしょうね」

「いや、まだ届けてはない。万一の場合を考えて、もうしばらく電話のかかるのを待つことにしていたところだ。だから、子供だけは傷つけないでくれ」

「さすがは博士、それだけお話がわかれば、ご心配はおかけしません。お子さんのことは大丈夫。では、さっそく取引きにうつりましょう」

「取引きだと。しかし、子供をさらって金を要求する罪の重いことは、知っての上だろうな」

「それは知っての上ですよ。だが、へんなことをなさったら、お子さんがどうなっても知りませんぜ」

「ま、まってくれ。いくら欲しいんだ」

「ざっくばらんに申しましょう。博士が完成されて秘密にしておられるといううわさの、ロボットの設計図」

「えっ。いや、それは困る」

「お困りになるのは、勝手ですがね」

「あれは、わたしが世の悪をこらすために作ったものだ。おまえのような者の手に、渡すわけにはゆかぬ。額は望み通りにするから、なんとか金ですましてくれ」

「でも、博士がいつもおっしゃるように、研究は金で買えませんのでね。それに、その設計図を金にするのは、きっと、わたしのほうが博士よりうまいでしょうよ」

「ああ、なんというやつだ。おまえは、それでも人間か」

「その通り。ロボットでない証拠には、ちゃんとこの通り欲があります」

「おまえのようなやつは、生かしておけぬ」

「どうか、興奮なさらぬよう。お子さんをおあずかりしていることを、お忘れなく」

「うむ、やむを得ない。取引きに応じよう」

「そうですよ。それでこそ賢明な博士です」

「しかし、わたしの坊やは、たしかにおまえのところにいるのだな」

「そのことは、ご心配なく。そばの長椅子の上で、さっきからずっと、おとなしくおやすみですよ」

「そうか、それでほっとした。しかし、念のために声を聞かせてくれ」

「まだ、なにもしゃべれないでしょうに」

「いや、泣き声でいいのだ。泣き声さえ聞かせてくれれば、わたしも安心して取引きに応じよう」

「いいんですかい、泣かせても」

「わたしは坊やの無事なことを、たしかめたいのだ。ひとつ耳を引っぱってみてくれ。

坊やはどういうわけか、耳の神経が敏感で、おとなしく寝ている時でも、耳を引っぱればすぐに泣き出す」

「変な癖ですね。まあいいでしょう。やってあげましょう。だけど、泣き声を聞きつけて、ひとが来るとうるさい。窓をしめきってからにしますぜ」

「それは勝手だ。気になるなら、ドアにもカギをかけておいていい」

「なんですって」

「なんでもいい。早く泣き声を聞かせてくれ。無事な証拠を示してくれ」

「お待ちなさい。いま、やってあげます。それがすんだら、取引きの方法に移りましょう」

相手の声はしばらくとぎれ、窓をしめているらしい音がした。そして、小さな声が聞こえた。

「坊や、おとうさんが泣き声を聞きたいとさ。痛くても、ちょっとがまんしな」

博士は受話器を耳に押しつける手に力を加えて待った。はげしい爆発音が響いてきた。

受話器をもとにもどした博士は、うれしそうに笑った。

「耳が引き金になっていたとは、気がつくまい。悪人がまた一人へった」

親善キッス

「やれやれ、やっと着いた。まったく長い旅だったな」

地球からの親善使節団の一行の乗りくんだ宇宙船は、広大な空間の旅を終えて、銀色にきらめきながら、チル惑星の首都ちかくの空港に降りたった。

「いいか、大気の検査がすみしだい、ドアをあける。翻訳機の点検を、もう一度やっておけ。おくりものの箱は、こわれなかったろうな。おい、ひげはそったか。服にブラシをかけ、身だしなみをきちんとしておけ。われわれは地球の代表なんだ、恥をかかないように、気をつけるんだぞ」

団長は、そわそわしながら注意を与えた。言われるまでもなく、団員たちは鏡にむかってクシやブラシを動かしていた。

身づくろいをすばやく終えた要領のいい一人の団員は、双眼鏡を手にして窓から外を眺めていたが、それを目からはなして、団長に話しかけた。

「なるほど、町も人びとも、地球とほとんど同じですね。もっとも、男も女もショートスカートというところが珍しいが、これだってスコットランドにはそんな習慣もある。しかし、団長、やはり文明は地球のほうが少しだけ進んでいるようですね」

「それはそうさ。だから、われわれのほうから出かけてきたのだ。このチル星では、まだ地球までこられる乗り物が作れない。まあ地球のほうが少しだけ、先進国といえるだろう」

「ところで、団長。いま思いついたことがあるのですが」

「なんだ、言ってみろ」

「いままで地球とチル星とでとりかわした通信のなかで、キスのことに触れてあったでしょうか」

「さあ、どうかな。そんなことまでは通信しあわなかったと思うが。それが、どうしたんだ」

「そこでですよ。地球ではこのようなあいさつのやり方が行われているんだ、ということを、団長が適当な機会に示して下さい。そうすれば、たくさんの女の子と、われわれは自由にキスができるというわけです。これだけの旅をしてきたんだから、それぐらいはいいでしょう」

「まあ考えておく。しかし、これだけ似た文明だから、チル星にだって、あんがい地球以上にキスが行われているかも知れないぞ」

やっと準備がすみ、軽い音をたてながらドアが開きはじめ、住民たちの歓声が宇宙船の内部に流れこんできた。団長は重々しい身ぶりで、群衆の上に姿をあらわした。そして、せきばらいをひとつし、翻訳機を通じて第一声をはなった。

「みなさん、わたしたちは、地球からはるばるやってまいりました。すでにみなさんとは、空間を越えて、電波による通信を前々からおこなってきました。そして、おたがいの文化が多くの共通点を持つこと、おたがいに平和を愛する者であることを知りました。この上はその理解と友好とをさらに深め、そして高めあおうという地球人の願いを負って、わたしたち使節団が苦しい旅をつづけてやってきたのであります。わたしたちは、みなさんにお目にかかれて、まことにうれしい。また、みなさんも、わたしたちの訪問を喜んで下さることと信じます」

団長のあいさつが終ると、空港を埋めつくしたチル星の住民たちは、いっせいに手を振り、足をふみならし、口々に叫び声をあげた。

もちろん翻訳機には、そのいっぺんに押しよせてくる、嵐のようなブーブーという音を訳しきる能力はなかった。しかし、その叫びの底にある暖かい歓迎の気持ちは、どの団員の胸にもしみわたった。

団員たちは、おたがいに肩をたたきあった。

「おい、来てよかったな。見ろ、あの喜びようを」

「ああ、いままでの長かった宇宙旅行の疲れが、いっぺんに消えてゆくようだ」

「なんだ、涙なんか流しやがって」

感激の空気は、宇宙船の内外にたちこめた。歓声が少し静まると、こんどは空港に作られた台の上に立ったチル星の元首が、拡声機で歓迎のことばをのべた。団長のそばの翻訳機は、それを訳して機内に流した。

「地球のかたがた、よくおいで下さった。今後はおたがいに、兄弟の星として交際を深めましょう。まあ、形式的なあいさつは、これぐらいにしましょう。まず、これをお受けとり下さい。それから、歓迎会場へのパレードにうつりましょう」

ふたたびわきあがる歓声のなかで、宇宙船から地上へおろされた階段を、美しい女性があがってきた。

「チル星にも、すごい美人がいるじゃないか」

「おそらくミス・チル星といったところだろう」

階段をあがりきったその女性は、団長のそばに立ち、抱えてきたものを差し出した。それはダイヤをちりばめた大きな鍵《かぎ》だった。

「文明が同じところでは、同じような習慣ができるとみえる」

「ああ、これなら親善もうまくゆくだろう」

団員たちはささやきあい、団長は嵐の海岸に立っているような烈《はげ》しい拍手のなかで、チル星の友情を示す美しい鍵を受け取った。

「ありがとう」

興奮にふるえた団長は、ミス・チル星を抱きしめた。甘いかおりが鼻に迫り、彼は思わず自分のくちびるを相手のそれに近づけた。しかし、彼女はとまどったようにそれを拒み、群衆のブーブーいう歓声は、一瞬ひき潮のように静まった。

先進国の誇りを持った団長は、いまさらやめるわけにいかなかった。長い旅のあげく久しぶりに会った女性でもあったし、さっきの団員の意見を思い出しもした。彼は落ち着いたそぶりを崩さず、翻訳機を通じて、呼びかけた。

「これは、地球での親しみをあらわすあいさつです。わたしたちに、地球でのやり方で親愛の情を示させて下さい」

この言葉が群衆の上に流れるにつれ、歓声は前にもまして高まった。事情がわかったせいか、ミス・チル星ももう拒みはせず、その意外に小さな口を団長の顔によせた。口づけのあいだじゅう、叫びは熱狂的にひびきつづけた。彼女は、団員たちともつぎつぎと口づけをかわし、ふたたび団長のそばにもどって彼の手をとった。

荘重な音楽が奏《かな》でられ、そのなかを、ミス・チル星に手をとられた団長を先頭にして、一同は階段をおりた。

急ぎ足で歩みよってきたチル星の太った元首は、団長の肩を抱きキスをした。団長は内心ちょっと困ったが、いま言った言葉の手前、あれは女性に限るのだと、すぐ訂正もできなかった。そこで翻訳機をさし出し、なにか言うようにうながした。元首は言った。

「おたがいに思想や習慣など、こまかい点ではちがいもあるでしょうが、友好という大きな点では、しっかりと手をにぎりあうことにいたしましょう」

「そうですとも」

と団長はおうようにうなずき、元首の手を固くにぎった。団長のうしろでは、大さわぎがおこっていた。ほかの団員たちは押しよせる群衆によってもみくちゃにされ、さんざんにキスをされているのだ。男も老人もいたが、もちろん若い女性たちもいたので、困る場合ばかりでもなかったが……。

「みんなは、あなた方のもたらした地球式のあいさつを、面白がっているようです。このチル星でも、新しい流行となるでしょう」

元首はこう言いながら合図した。明るい行進曲が演奏され、一同は用意された自動車に乗せられた。

「では、歓迎会場へむかいましょう」

一大パレードが開始された。団長は元首と並んで先頭の車に乗り、団員たちは美しい女性たちと何台もの車に分乗して、それにつづいた。

パレードは空港から街の大通りにはいった。人の波、旗、テープ、紙吹雪、歓声、拍手。団員たちは感激し、時どきその感激を要領よく中断して、そばの美人たちとキスをかわした。

「すごい歓迎だ。地球とまったく同じやり方じゃないか」

「おい、見ろ。あんなところまで似ているぜ」

一人の団員が目ざとく見つけて、仲間たちに知らせた。その指さす先、人ごみのむこうの建物のかげで、一人の男が吐いているのだ。

「星をあげてのこのお祭りさわぎだ。おおかた飲みすぎたんだろう。しかし、ますます親しみがもてるじゃないか」

「われわれも、まもなく思いきり飲めるぞ」

熱狂の渦巻くなかをパレードは進み、この星で最高と思われるホテルについた。一同は、そこのたんねんにみがかれた大理石づくりの広間に導かれた。香り高い花で飾られたテーブルの上には、すばらしい細工の杯に酒がつがれて、並べられてあった。みなはその杯を手にとった。

「では、二つの星の友好のために乾杯……」

感激は最高潮に達した。チル星人たちは、いっせいにその短いスカートを優雅な身ぶりでもちあげ、おしりのあたりからでているしっぽに似た口の先に、杯の酒を流しこんだ。

マネー・エイジ

朝。いつものように電気鶏《どり》の声で目ざめてみると、応接間のほうから、知らない人の話し声がしてきた。ドアのすきまから、そっと応接間のほうをのぞいてみると、お父さまのところに、どなたか若い男のお客さまがいらっしゃっていた。あたしは、ちょっとときき耳をたててみた。

「どうでしょう。ひとつ、うちの銀行へも、ワイロ口座をお作りいただけないものでしょうか」

話していることから、銀行の勧誘員らしいことがわかった。お父さまは頭をおふりになって、

「しかし、ワイロ口座なら、いままで取引きしている銀行にあるのでね」

と、おっしゃった。だけど、銀行の人は熱心だった。

「でもございましょうが、こちらさまのように、宇宙貿易をご商売となさっていらっしゃるのなら、もう一つぐらい口座があっても、よろしいではございませんか。それ

に、ご利用いただけば、おわかりいただけると思いますが、うちの口座はまことに迅速でございます。電話一本で相手の口座に振替えられますし、相手には入金をすぐさま報告いたしますから。それに、ワイロ日報も毎日お送りいたします」

「その、ワイロ日報は、どこの銀行でも出しているぜ」

お父さまは、相変らず頭をおふりになった。

「そこで、ご相談がございますが、もし、口座をお作りいただけるなら……」

お父さまと、お客さまの間のテーブルの上の小型計算機が、さわやかなリズムをひびかせはじめた。

「では、これくらいでは」

「もう少し、なんとかならないかね」

と、お父さまの声は楽しそうだった。お父さまの口調がこうなると、話がとても長びいてしまうことを、あたしはよく知っている。きょう、宇宙植物園につれていっていただく約束だったのが、だめになってしまうだろう。

そこで、あたしは服をきかえ、応接間にはいっていった。

「お父さま、おはようございます。お客さま、いらっしゃいませ……」

そして、すぐにこう切りだしたの。

「……ねえ、お父さま。きょうは会社がお休みだから、植物園につれてって下さるわね」

「それがね、お父さんはお仕事ができちゃったのだよ。また、こんどにしようね」

思った通りのご返事だったので、あたしはすぐ泣きべそをかいた。

「そんなの、ないわよ。ねえ、あんなにお約束したじゃないの……」

と、大声をあげようとした。お父さまは、ポケットに手をお入れになり、金貨を一枚お出しになった。あたしは片目だけ泣きやんであげた。すると、お父さまはもう一枚お出しになったので、あたしは両方の目で笑ってあげた。

「じゃあ、こんど、きっとね」

ふたたびはじまった計算機の音をあとに、茶の間に行った。二枚の金貨がポケットにあるので、うれしくてたまらず、食卓の椅子《いす》を思わずガタンといわせてしまって、はっとしちゃった。お母さまに聞かれてしまうと、おしりをぶたれてしまうの。それをかんべんしていただくには、金貨を一枚さしあげなくてはならないのよ。いつも、どんなにうれしくても、お行儀には気をつけなければ。

だけど、お母さまはお台所のほうだったので、ほっとした。

朝ごはんがすんで、学校に行くことにした。植物園につれていっていただけないんだから、しかたがないわ。

門を出ると、きょうは運わるく、いじめっ子が待ちかまえていて、あたしに言った。

「やーい、いくじなし」

あたしは、べつにいくじなしだとは思っていないけど、この言葉はいじめっ子のあいさつなんだから、しかたがない。もっとちがった言葉を考え出せばいいのにと、時どき考えちゃうわ。

だけど、きょうは時間がおそい。ゆっくりと相手になって値切っていると、学校に遅刻してしまう。遅刻すると、先生に銀貨を二枚あげなくてはならないの。だから、あたしはいじめっ子に声をかけた。

「あんた、おつりあるの」

「あるとも」

もっとも、おつりを用意していないいじめっ子なんていないけど、これはいつもどおり払う、というあいさつ。あたしは金貨一枚をわたして、銀貨を九枚うけとった。いじめっ子はあいそよく笑った。

「オーケー」

「あんたも、こんな割の悪いことをいいかげんでやめて、もっとうまい方法を考えなさいよ」

「うん。だけど、おれ頭が悪いからな」

たしかに、いじめっ子商売は、頭の悪い子しかやらない。あまり高くとると、敬遠されて成立たなくなるし、時には言いつけられて、こつこつためたかせぎの大半を、とりかえされてしまうのだから。

学校方面のバスは少しこんでいたけれど、あたしはうまくすわった。つぎの駅で、おばあさんがのってきて、あたしの前に立って、こう言った。

「ねえ、おじょうさん。席をゆずってくれない」

そして、銀貨を一枚とりだしたけど、あたしはしらんかおをした。だって相場があるもの。すると、おばあさんは、しぶしぶもう一枚だした。あたしは、にこにこして席をたった。

「さあ、どうぞ、おかけなさいませ。お気をつけてね」

学校には遅刻しないですんだ。

一時間目は、社会科。

「いいですか、みなさん。むかしから社会の動きを支配するものが、いろいろと変ってきましたね。宗教、権力、主義、科学など、いろいろ試みられてきました。だけど、やっぱり、お金です。社会を機械にたとえれば、お金は潤滑油ですし、生物にたとえれば血液でしょう。だれですか、そこでいねむりをしているのは。わかりきったことでも、時間ちゅうは、きちんと聞いていなければいけませんよ」

先生はやさしく注意なさった。うしろのほうの席の男の子だった。かわいそうに、あとで罰金をとられるのよ。先生はお話をおつづけになった。

「もちろん、法律はあります。だけど、みなさんも知っているように、刑務所はあるが服役者がなく、死刑台はあるが死刑は行われない、という状態です。むかしの人は、法律だけですべてをきめようとしていました。潤滑油を使わないで、機械を動かそうというようなものですね……」

先生はひと息つく。

「……みなさんは、おまわりさんがどんな小さな犯罪をものがさず、つかまえているのを知っていますね。もちろん、ワイロを受取ってそれを見のがすことはできます。しかし、それをあまりやると、成績が落ち、昇進に影響し、将来、もっとたくさんワイロをとれる道をすててしまうことになります。検事も同じ。弁護士からワイロをとるのも、将来のことを計算してやらなければなりません。検事のなかには、早く昇進したいために、弁護士にワイロをおくり、有罪率をあげることもあるのです。弁護士はそれを相手にするのですから、費用がかさむわけです。つまり、犯罪は現在では、絶対にひきあわないのです」

あんまり面白くないお話だった。だけど、よそ見をみつかると、罰金をとられてしまう。

「ですが、犯罪がひきあわないことを、すべての人が身につけるまでには、長い年月がかかりました。ワイロが罪悪である、という考え方を打ち破るのは、たいへんだったのです。ところで、事件がおこると、その解決のための関係者があと二つあります。それは、なんでしょうか」

と、先生はあたしを指さされた。

「はい。判事です。検事と弁護士をうまく折り合わせ、適当に罰金の高をきめます」

「そうですね。罰金が払えないと懲役や死刑になるわけですが、現在のように経済がゆたかで、みなが利口になった時代では、そんなことには実際問題としてなりませんね。さて、もう一つはなんですか」

あたしは答えられなかった。きょうは植物園につれてってもらえるつもりでいたので、予習をよくやらなかったのだもの。

前の子が手をうしろにまわし、教えようかと、あいずをした。あたしがせきを軽くすれば、指を動かして知らせてくれるの。だけど、あたしはせきをしなかった。この子の教え賃がこのごろ少し高くなったから、たまには断わってみせなくちゃあ。

「調べてきませんでした」

と、先生にお答えした。帰りには、先生に罰金を払わなければならない。ほんとに、予習をやっておかないと損をしてしまう。

「それはいけませんね。証人ですよ。役に立つ、たくさんのお金をもらえる証人となるためには、よく事件を見ておかなければなりません。まちがった証言をすると、罰金や弁護料のために、たいへんなお金をとられます。みなさんは、正確に観察し、計算し、判断することを、いつも心がけていなければなりませんよ」

きょうは、算数の時間もあった。算数はあたしとくいなので、横の子と、うしろの子から教え賃をとってやった。それで、社会科の罰金をかせぐことができた。

放課後、先生の所に罰金を払いにいった。

「はい、先生。さっきのお金……」

先生はそれをポケットにお入れになった。それから先生は、このあいだの試験の答案をお出しになって、あたしにお見せになった。

「このあいだの採点だよ。ほら、六十点」

「あら、ずいぶんちがってたのね。これじゃあ、うちへ帰って、お父さんにおこられちゃうわ。ねえ、先生。なんとかしてよ」

あたしは先生にねばって交渉した。うちではお父さまの罰金がうんと高いのよ、と少しうそをついちゃった。だけど、あまり高く言うと、先生にみやぶられて、こんどは、こっちがつけこまれてしまうから、ちょっとむずかしいところ。

長いあいだかかって、金貨一枚で九十五点にしていただいた。百点にしていただくにはお金がかかるし、それに、お父さまにみやぶられてしまうかもしれない。

「先生、どうもありがとう」

あたしは先生に、さよなら、を言ってうちに帰った。

お父さまは、自分の部屋で計算機をお使いになって、いろいろ考えていらっしゃった。あたしは、

「お父さま、ただいま。ほら、九十五点よ」

と、さっきの答案をお見せした。

「そうかい、よく勉強したね。はい、ごほうび」

お父さまは、ポケットから金貨を三枚お出しになって、あたしに下さった。先生にあげたのを引けば、二枚のこったことになる。だけど、もっと勉強しておけば、なに

も先生にあげることなくすんだのに。やはり、ちゃんと勉強しておかなくては。あしたからは、先生に罰金を払わなくてもすむようにしよう。

ねる前に、きょうふえたお金を、大きな貯金箱に入れた。もう、ずいぶんふえて、あたしの力では持ちあげられないくらい。いっしょうけんめい押すと、貯金箱は少し動いて、じゃらっと音をたてた。ほんとにいい気持ちよ。

ベッドにはいってから、とりよせた計算機のカタログをぱらぱらめくった。色ずりで、ほんとにきれい。あたしも子供用のを、そろそろ買おうかしら。罰金などの相場がすぐにわかり、なにでどれくらいもうけたのかの合計も、ボタンひとつですぐに出る。計算をまちがえたら、損しちゃうもの。

カタログのうしろのほうには、大人の使うワイロ計算機もでている。大きくて、とてもすばらしい。早く大人になって、あんなのを使えるようになりたいな。

へやの電気フクロウが、ポウポウとないて、電灯の光がくらくなった。あたしはカタログを閉じ、ふとんをかぶった。

きょうは、ワイロ計算機と金貨のざくざく流れている夢を見られるかしら。見られるといいな。だけど、むかしの子供は、どんな夢を見たがったのかしら。そして、ずっと未来の子供は、どんな夢を見たがるのかしら。

雄大な計画

ひとりの青年があった。名は三郎《さぶろう》という。彼はR産業の入社試験を受けた。その結果を待っていると、ある日、そこの社長が訪れてきた。三郎は驚き、ふしぎがりながら言った。

「これはこれは、どういうことなのでしょう。合格なら、一枚の通知状ですむはずでしょう。といって、わざわざ不合格を知らせにおいでになったとも……」

「いや、最高の成績で合格だ。そこをみこんで、社としてたのみがある」

なにやら重大な用件のようだった。三郎は胸をおどらせながら聞いた。

「なんでしょうか、わたしにできることなら」

「じつは、わが社が不合格だったことにして、K産業の入社試験を受けてもらいたいのだ。きみなら、必ず入社できる」

「なんですって。K産業といえば、おたくの競争会社。しかも、むこうがつねに一歩リードしている会社ではありませんか。わたしはこの形勢を逆転させることができたら、さぞ働きがいがあるだろうと思えばこそ、あなたの会社を望んだのです。それをなんで……」

社長はにっこりし、身を乗り出した。

「いまのその言葉は、まことに心強い。だからこそ、ぜひたのみたいのだ。きみの言う通り、わが社はいかに努力しても、K産業を追い抜くことはもちろん、追いつくこともできない。その秘密をさぐり、報告してくれる人物が必要なのだ」

「ははあ、スパイとなって、潜入してくれというわけですね」

「そうだ、きみならきっと、うまくやりとげてくれるだろう。成功したら、どんな報酬も出すし、すぐ重役にしてもいい。催促はしないから、あわてずにやってくれ。期間はいくらかかってもかまわない。また小さな秘密など、報告しなくてもいい。つまらんことで感づかれては、もともこもないからな」

「わたしをみこんで、そうまでおっしゃるのでしたら……」

三郎はくどき落され、雄大な計画は開始された。すなわち、K産業の入社試験を受けて合格し、そこの社員となったのだ。

もちろん、入社して一年やそこらで、社の重要事項にタッチできるわけがない。だが彼はあせることなく、ひたすら努力した。まじめに仕事にはげみ、上役や同僚の信用を得ることを第一の目標としたのだ。また社外でも身をつつしみ、ばかげた行為はつとめてさけた。周囲から怪しまれてはならぬし、スパイとして働くのには、早く有利な地位につかなくてはならぬ。

普通の社員だと、三年目ぐらいに倦怠期《けんたいき》が訪れてくる。職場が面白くないとか、自己の才能に疑問を持つとか、スランプでどうにも能率があがらないとかいう状態だ。しかし、三郎の場合は、仕事に情熱をそそぎつづけることができた。なにしろ、彼には、はっきりした使命があった。まわりではだれも気がつかないが、おそるべき役割を持っているのだ。ほかの連中とはちがう。こんな面白いことはない。そう考えると、不満がわかないどころか、むしろ働くのが楽しかった。顔にうかんでくる微笑を、押えるのに苦心した。

こんな人材となると、K産業としても、ほってはおかない。彼はたちまち異例の昇進をし、課長になった。機密に一歩近づいたことになる。しかし、そんなけはいは、少しもあらわさぬよう努めた。こんなところで正体がばれたら、いままでの努力も水の泡《あわ》だ。

三郎は、ますます職務にはげんだ。ある時は、金をもらって他社に秘密をもらしていた部下の社員の行為をあばき、すぐさま追い出したこともあった。こんな社員がいては、せっかく遠大な計画のもとにスパイとして潜入している、自分の価値がなくなってしまう。

そんな功績もみとめられ、三郎はいっそうの信用がついた。そのうち人物をみこまれ、重役から娘と結婚してくれないかと申し込まれるまでになった。

断わると理由を問いただされ、怪しまれるだろう。三郎は承知した。進んで承知した。自分の正体をごまかすのに、こんないいかくれみのはない。スパイはドライでなければならぬ。利用できるものは、すべて利用せねばならぬ。もっとも重役の娘はちょっとした美人で、性格もよかった。

三郎は家庭でもいい夫となった。敵を完全にあざむくには、まず味方からだ。妻は実家に帰るたびに、三郎のことをほめたたえた。これがいい結果をもたらすことは、いうまでもない。

彼は疲れを知らぬごとく、ひたすら働き、昇進し、K産業の中枢部《ちゅうすうぶ》へと接近していった。そのかいあって、まだ若いのに、役員会議に出席できるようにもなった。

三郎はここで考えた。K産業の全容を、ほぼ知ることができた。そろそろ報告をまとめてR産業に帰り、一段落にしてもいいころだ。しかし、こうも考えるのだった。せっかく、ここまでたどりついたのだ。もう少し辛抱すれば、さらに大きな収穫をもたらすことができるかもしれないと。三郎は後者の道をえらんだ。

ついに、目標に到達する日となった。K産業の秘密のすべてを知りうる立場にたどりつけた。つまり、社長になれたのだ。業界では、実力でかちとった若い社長ということで評判になった。もちろん、ただ全部を知りうるだけではない、意のままに経営できるのだ。

「さて、K産業を生かすも殺すも、すべてわたしの胸のうちにある。ここで巧妙に倒産させれば、わたしの使命は成功のうちに、めでたく終りとなる……」

と彼はつぶやき、その先をつづけた。

「……しかし、なぜつぶさなければならないのだ。いままでの血のにじむ努力。なまじっかの報酬では、とても引きあわない。もどってR産業の役員になっても、どうということもない。社長の後継者にしてもらっても、いまより落ちることになる」

身についたドライな考え方だけは、あいかわらずだった。

いっぽう、R産業の社長のほうはこの成り行きを喜びながら待っていたが、月日がたっても、なんの効果もあげてくれない。ひそかに連絡をつけようとしても、冷たい返事がかえってくるだけだ。腹立ちまぎれに〈K産業の社長は、わが社のスパイ〉というわさを流した。ただのうわさではなく真実だったのだが、これは逆効果だった。

それを聞いてK産業の社員たちは怒り、新社長のもとに奮起し、激しい販売競争をつづけたあげく、とうとうR産業を倒産させてしまった。

人類愛

「ＳＯＳ・ＳＯＳ……」

かぞえきれぬ星々が美しくきらめき、静寂にみちた宇宙の空間。その遠くから弱々しい電波が、とぎれがちに送られてくる。私はひとり宇宙船を操縦し、それにむかって全速力で進んだ。電波の発信点では、だれかが遭難し、恐怖と孤独におののきながら、助けを待ちつづけているのだ。

私は宇宙救助隊員。ＳＯＳを受信すると、ただちにそれにむかって急行し、自分の身の危険などものともせずに救助にあたる。この制服の胸に青く小さく輝いているのは、五十四のホタルではない。また単なる飾りでもない。これまでに五十回の遭難を救助してきたことをあらわす、名誉のマークだ。

しかし、私はマークの数をふやすために、この仕事をやっているのではない。はてしない宇宙では、人間の生命の尊さが地上では想像もできないほど、強く感じられるのだ。マークなど問題ではない。地球にある家庭には時たましか帰れない仕事だが、私の心のなかで燃える人類愛は、私をこの誇り高い任務から去らせないのだ。

「がんばれ。もうすぐ助けに行くぞ」

という私の返電に対して、ほっとしたような声が答えてきた。

「ありがたい。ひとりでは、どうしようもなかった。助けにきてくれたのか」

「そうだ。救助隊員だ。いったいなんの事故だ」

「隕石群《いんせきぐん》にぶつかった。このへんには隕石が多い。そちらも気をつけてくれ」

「わかった」

私はもちろん隕石群に注意した。だが、こっちの安全ばかり考えて、救助をおくらせるわけにはいかない。一刻のおくれが、すべてを無駄にしてしまうことが多い。私は速度をさらにあげながら呼びかけた。

「大丈夫か。がんばれるか」

「ああ。酸素は大丈夫だが、温度調節器がやられ、寒さがひどい。なんだか眠くなってきた」

「眠ってはいかん。凍死するぞ。起きているんだ」

と、私ははげました。だが、レーダーにうつる隕石の数が多くなり、船の速度を落さざるを得なかった。これでは、思ったより救助に時間がかかる。それまでのあいだ、彼を眠らせてはならない。彼になにか、しゃべりつづけさせなければならないのだ。

「おい、きみはどこの星のものだ」

「地球だ」

と返事がかえってきた。

「そうか。おれも地球だ。こういっては悪いが、やはりなんといっても地球だな。火星や金星の植民地や、月の基地の連中は、どうもがさつだ。必ず助けてやるぞ」

と私はなつかしさで声を高めた。人類愛に燃える私は、もちろん住んでいる星によって救助の努力に差別などしない。しかし、地球で育った私が、地球の者に特に親近感を覚えるのは無理もないことだろう。郷土愛とでもいうのだろうか。私はどんなことがあってもこの男を助けようと、心に誓った。

「ああ、地球か。なつかしいな。もう一度地球へ帰れるかな。地球の緑の山や青い海が見られるかな」

と彼は少ししゃべった。そうだ、その調子でしゃべりつづけていてくれ。

「見られるとも。おれの行くまで起きていろ」

だが、しばらくすると、あくびらしい、けだるい声が無電にはいった。彼にしゃべりつづけさせるには、もっとなにか話しかけなければならない。

「地球のどこの地方だ」

「日本さ」

と眠そうな声。

「なんだと。日本だと。おれも日本だ」

私はさらに緊張した。私には人種的な偏見など少しもないが、おなじ日本のものと知ってさらに親近感を感じた。民族愛とでも呼ぶものだろう。そして、船を操り、巧みに隕石群をぬって接近した。といっても、操縦に気をとられて、彼に話しかけるのを忘れてはいけない。

「いいな日本は。がんばれ。この宇宙船には、日本食があるぞ。もうすぐ、いっしょにそれを食べながら、日本の話ができるのだ。だいぶ近づいているぞ」

「ああ」

相変らず、眠そうな声がかえってきた。

「おい、日本をもう一度見たくないのか。美しい富士の山、いっせいに咲きほこる桜の花、もえあがる秋の紅葉を……」

なんでもいいから彼に考えさせ、答えさせるのだ。

「ああ……」

「なにか答えろ。おい、日本はどこなのだ」

「トウキョウ」

ゆっくりと声が聞こえた。

「そうか。おれも東京だ」

私は再三の偶然におどろいた。この広い宇宙で、同じ東京の者にめぐりあえるとは。この運命の神のみちびきにこたえるため、必ずこの男を助けよう。そして、帰る途中、ずっと東京の話をしつづけよう。しかし、それには私が助けるまで、彼が眠らないでいてくれなければならない。

「東京なら、ずっといっしょに帰れるぞ。帰ったら、おれの家に遊びにこいよ。おれもきみの家に遊びに行くぜ。ところで、きみの家はどこだ」

「A区」

「そうか、おれはB区だ。訪問しあうにも、すぐ近くじゃないか」

私は、彼のこわれかけた宇宙船が肉眼で見えるほど近づいた。

「おい、きみの船が見えたぞ。もう少しだ」

私は方向を修正し、注意ぶかく接近した。

「おい、起きろ」

と私はまたも声をかけたが、しばらく返事は聞こえなかった。いかん、眠ってしまったのか。あわてて、さらに二、三回よびかけてみた。

「ああ……」

という答え。よかった。まだ大丈夫だった。だが、その声は一段と弱まり、一段と眠そうだった。話しかけるのをやめたら、たちまち眠りにおち、凍死にひき込まれてしまうだろう。なんでもいい、もっと答えさせていなくては。

「A区のどこだ。教えてくれ。おれが遊びに行くのに、困るじゃないか」

「三〇二アパート」

彼の宇宙船はすぐ近くに迫った。空気があるところなら、声のとどく距離だ。私は多くのボタンをすばやく操り、こちらのを停止させる作業をした。

「もうすぐだぞ。おい、起きているのだろうな。きみの名前は、なんと言うのだ」

私は宇宙服を身につけながら、はげました。彼のつぶやき声が、宇宙帽をかぶろうとした私の耳にはいってきた。

「えっ、だれだと。もう一度いってくれ」

たえだえに名前を答える、彼の声が聞こえた。私は宇宙帽を置き、ブランデーを口にした。もう少し待てば彼は眠り、たちまち死ぬのだ。そうしたら、その故障船をひっぱって帰ればいいのだ。マークの一つぐらいふえなくったって、どうでもいい。いくら人類愛、郷土愛、民族愛にもえていたって、かつて自分のワイフに手を出した男を助けるお人よしなど、あるものか。

ゆきとどいた生活

朝。はてしなくつづくビルの山脈のかなた。白い雲のあいだに、夏の太陽がのぼりはじめ、この部屋のなかにも、その日ざしが送りこまれてきた。ここは八十階建てアパートの七十二階。ベッドの上に横たわっている男は、この部屋の住人、宇宙旅行専門の保険会社につとめるテール氏だ。

日はさらにのぼり、窓ぎわにあるガラス製の彫刻にきらりと反射し、壁にはめこまれている自動カレンダーの日付けのところに丸くスポットを作った。

さし込む日ざしも、しだいに強くなっていった。だが、窓に張られた大きなガラスは、いくらか青みをおび、熱を通さないようにできていて、なかには明るさだけが入ってくる。

それに、室内にある装置のため、ほどよい気温と、かすかな花のかおりを含んだ新鮮な空気が、すみずみまで満ちていた。気温はいつも一定に保たれるが、花のかおりは季節と人の好みによって変えられる。いまは夏なので、テール氏の好みによって、ユリの花をもとに調合されたかおりが、片すみの装置から静かにはき出されている。

壁のカレンダーの上の時計が八時をさし、かちりと小さな音をたてた。それにつづいて、大輪の花弁のような形をした銀色のスピーカーから、音楽がわき、声がていねいに呼びかけてきた。

「さあ、もうお起きになる時間でございます。さあ、もうお起きになる……」

時計やすべての装置と、完全に連絡されている《声》は同じことを三回くりかえした。だが、テール氏が起きあがる気配を示さないので、声はとまり、かわって壁のなかで、歯車の切りかえられる音がかすかに起った。

天井から静かに《手》がおりてきた。どこの家にもあり、人びとが《手》と呼んでいるこの装置は、やわらかいプラスチックで作られた、大きなマジックハンドのようなものだ。

「お起きにならないと、会社におくれてしまいます。お眠いでしょうが、おつとめには、いらっしゃらないといけません」

《声》とともに《手》は毛布をどけ、テール氏を抱きおこした。そして、浴室のほうへ運んでいった。テール氏は昔のあやつり人形のように動かされ、自動的に開いた浴室のドアに迎えられた。《手》がテール氏をシャワーの下に運ぶと、まず壁から小さ

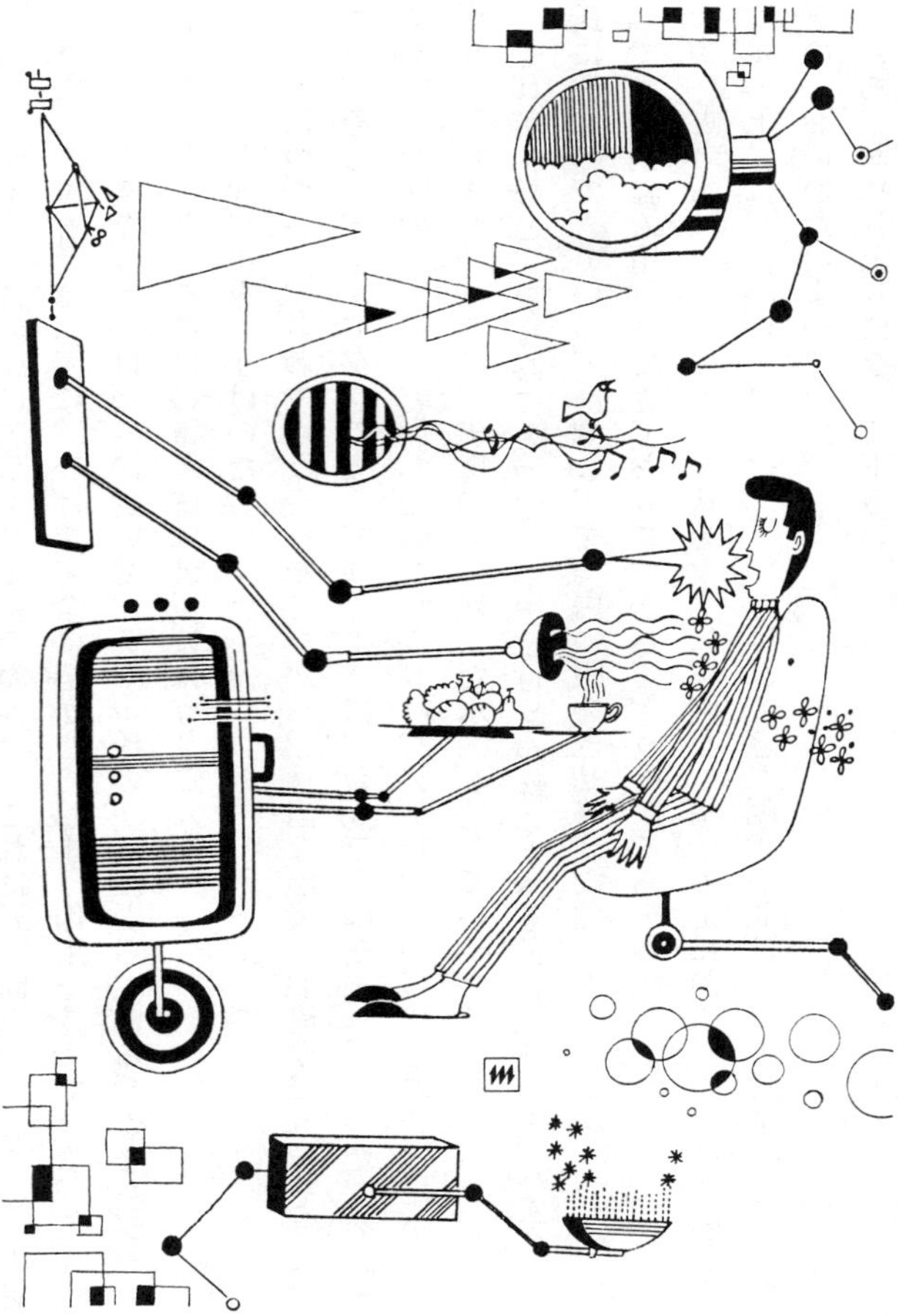

な《手》が出て、彼の顔に脱毛クリームをぬった。これは五秒間ぬっておくと、皮膚にはなんの害も及ぼさずに、ひげを完全に溶かしてしまう作用を持っている。

一方、大きな《手》は巧みに動いて、テール氏のからだから、ゆるやかなパジャマをはぎとり、それをそばの電子洗濯装置にほうりこんだ。

「では、シャワーをおかけいたします」

《声》につづいて、さわやかな音をたてながら、適当な温度のお湯が降りそそぎはじめた。そして、やがて夕立の去ってゆくように、シャワーは弱まり、止った。それを待っていたかのように、乾燥した風が吹きつけ、テール氏のからだを渦巻きながらこすり、たちまちのうちに、皮膚の上に残った水滴を消していった。

それがすむと、噴霧器によってオーデコロンが軽くあびせられた。《手》はテール氏に洗濯のできている、清潔な、まっ白い服をきせ終えた。

「では、朝食の用意ができておりますから、どうぞ、こちらへ」

《声》とともに《手》はテール氏を食堂に案内し、椅子《いす》の上におろした。そこのテーブルの上には、台所からコンベアーで運ばれてきた朝食が並び、コーヒー、ミルクなどのにおいがただよっていた。

「さあ、おめし上りになって下さい」

それとともに、テレビのスイッチが入った。前の日のニュースのダイジェストが大きなスクリーンの上で、美しい色彩によって物語られ、三分間つづいた。

それが終ると、テレビのスイッチが切れ、かわって三方の壁から、やわらかな音楽が流れ出してきた。華やかな音楽は、明るい日ざしのなか、すがすがしい空気のなかで、しばらく舞いつづけた。

音楽が低くなり、《声》が言った。

「おすみでしたら、おさげいたします」

すべては日課に合わせて動きつづける。テール氏がそばのボタンを押さず、拒否の意志を示さないので、コンベアーが動きはじめた。テーブルの上の食器は、かちゃかちゃと陶器と金属のふれあう音をたてながら、台所のほうに動いていった。

音楽はふたたび高くなり、薬品セットが動いてきて、テール氏の前で止った。消化剤、興奮抑制剤、活力剤など、いろいろあるが、テール氏は、けさは、それらに手を伸ばそうとしなかった。

しばらくのあいだ、音楽が曲を変えながら、響いていた。

時計が八時五十分を示し、音楽はふたたび低くなり、とだえた。《声》がかわりに注意をうながした。

「さあ、もうお出かけの時間でございます」

《手》はテール氏を立たせ、部屋の一隅につれていった。近づくにつれ、そこのドアは自動的に開いた。そこには丈夫な透明プラスチックでできた、繭《まゆ》の形のものがある。それは、だれもが使う乗り物なのだ。《手》はテール氏をそれに入れ、

「さあ、きょうもお元気に、いってらっしゃいませ。掃除と整理はお留守のあいだに、いつもの通りにやっておきますから」

という《声》とともに、繭形の乗り物のドアをしめ、そばのボタンを押した。

カチッという音とともに、圧搾《あっさく》空気の作用で、繭形の乗り物は、奥の大きなパイプのなかに吸いこまれていった。このパイプは都市のいたるところ、ビルのどの部屋までも行きわたっていて、強い空気の圧力で押され、だれでも、短時間のうちに、目的地に行きつくことができる。

テール氏の繭も、パイプのなかを進んだ。繭の先端についた小型の装置は無電を出しつづけ、パイプはそれを受信して、こみいったパイプ道路のなかを、まちがいなく行先きに案内する。

五分後に、テール氏の乗り物は、彼の会社の玄関にあらわれて止った。

出勤時間なので、玄関は大ぜいの社員でこみあっていた。その一人は、プラスチッ

クごしに、テール氏に呼びかけた。

「おはよう。テール君。どうしたんだい、ばかに顔色が悪いじゃないか」

しかし、テール氏は乗り物から出ようとはしなかった。声をかけた同僚は、手をのばしテール氏の手をひっぱろうとし、声をはりあげた。

「冷たい。おい、医者だ」

まもなく、やはりパイプ道路によって、医者がやってきた。ざわめきのなかで、医者はテール氏のからだを調べた。

「どうでしょう。ぐあいは」

「もう、手おくれです。テール氏は前から心臓が弱かったので、その発作を起したのです」

「いつでしょうか」

「そうですね。死後、約十時間ですから、昨晩というところでしょうな」

闇《やみ》の眼《め》

夜。この部屋のなかには、闇が静かにこもっていた。新しい、まっ黒なビロードを張りめぐらしたような闇が。

大きなガラス窓の前には、カーテンがかけられていなかったが、闇は戸外まで同じようにつづいていた。空に厚い雲がひろがっているのだろう。今夜は月影はもちろん、星のまたたきさえなかった。この家は都会から遠くはなれた林のなかなので、ネオンの輝きも、ヘッドライトのきらめきも、この部屋までは訪れてこなかった。

物音といえば、林の木の葉がかすかに風にそよぐ音。それに、部屋のなかで、時どき思い出したようにおこる深いため息。

「あなた。テレビでもつけましょうか。少しは、気をまぎらわせなくてはいけないわ」

闇の静けさのなかで、それにたえられないような、いらだった女の声がした。

「いや、いいんだ。おれはこの暗いなかで、ぼんやりしているほうが好きなんだ。だけど、おまえが見たいのなら、つけてもいいよ」

と、それに答えた男の声にも、疲れがあった。

「いいえ。あたしも、ほんとうはこのほうがいいの。テレビを見る気なんか、おこらないわ。ねえ、あたしたち、前とすっかり変ってしまったわね。おたがいにもっと朗らかだったのに、坊やがうまれてから」

「ああ……」

男の声はそれだけでとぎれ、つづいて、そのあたりで軽い金属的な音がおこり、闇のなかに小さなライターの炎が浮いた。その光は一瞬、男の苦悩にみちたような表情を、ゆらぎながら描きだしたが、タバコに火をつけ終って消えた。あとには、赤いタバコの火が、息づくように光り、時おり灰皿を求めてさまよった。

「ところで、坊やはどうしている。もう寝たのかな」

「まだ、寝ていないでしょう。きっと、となりの部屋で、本でも読んでいるのじゃないかしら。あの子は、本を読むのが好きだから」

またしばらく話がとぎれ、闇のなかを動いていたタバコの火は、灰皿の上で神経質に小きざみにゆれて消えた。

その時、となりの部屋へのドアが、音をたてて開いた。だが、闇は相変らずそのままだった。床の上を歩く幼い足音。

「パパ、ママ。さっきクレヨンをこのへんにおいといたの。どこだったかな」

と幼い子供の声。

「ママがさがしてあげるわ。いま電気をつけるからね」

だが、その言葉が終らないうちに、ふたたび子供が明るく叫んだ。

「あったよ。すぐそばの机の上だ。電気をつけなくてもいいよ」

「坊やはいいなあ。パパやママとちがって、こんなまっくらな所でも、なにもかもわかるんだから。どうしてわかるんだい」

と、男の声が幼い声にたずねた。

「どうしてって言われても、ぼくには言いようがないよ。頭のなかに、はっきりうつっているんだもの。それに前もうしろも、上も横も、みないっぺんにうつっているんだ。時どき来る先生にも、いつも聞かれるけど、どうにも言いようがないな。わかるのだからしようがないや。パパとママが、椅子にすわって笑っている。あ、ママが首をかしげた。壁の時計の秒針が、いま長針を追いこした。ぼくは頭を動かさなくても、みんなわかるんだよ」

子供の声はとくいげに響いた。

「いいね。パパやママは明るい所で、しかも、顔の前のほうしかわからないんだよ。それで、坊やはこれから絵をかくのかい」

「ああ、花を写生しようと思ったの」

子供の声は足音とともに、となりの部屋に消えていった。

あとにふたたび、低い男の声がおこった。

「坊やは闇のなかで絵がかけるんだから、おれには想像もつかぬ能力だ。学者の説によれば、テレパシーとかいうものの一種だそうだが、おれにはどうもわからんな。しかも、周囲がいっぺんにわかるなんて」

しかし、彼の声にはうらやましさの響きなど、少しもなかった。

「学者で思い出したけど、先生がさっきお金をおいていったわ。いつものように、机の引出しに入れておいたわ」

「まったく、実験動物のような扱いだな。しかし、その金で、われわれがここで人目をさけて暮せるのだから、あまり文句も言えないが。その金がなく、われわれが、あの子といっしょに都会で暮すつらさを考えれば、坊やが実験動物あつかいされても、まだいいかもしれない」

「先生は、きょうも言ってたわ。すばらしい能力を持ったお子さんなんですから、くれぐれも、いじけさせないようにって。だけど、これもつらいわね。心のなかで、どんなに悩んでも、坊やの前ではその表情を押え、笑わなければならないのだもの。しかも、わたしたちからは坊やの見えない暗闇でも、坊やはわたしたちを見ることができるのですものね」

「ああ、いまもおれはあわてて、笑い顔をつくったよ。おまえも、つらいだろうな。おれの責任なのだから」

「いいえ、それは、わからないじゃないの。あなたのせいとは、はっきりしていないもの。あたしのせいかも……」

いたわりあう声の語尾は、闇のなかに消えてゆき、やりきれない思いだけが濃く残った。

「先生の説によると、だれのせいでもなく、進化の流れだそうだよ。はげしくなった交通や、複雑な機械の操作に対応しようとしつづけて、その要素がしだいに蓄積したため、遺伝子に変化がもたらされ、うちの坊やのようなのがうまれた、と考えられるそうだ」

「よくわからないわね」

「おれにもよくはわからないが、えさを求める必要が、ハチュウ類を、空を飛ぶ能力を身につけた鳥に進化させたのと同じだそうだ」

「そういえば、坊やのような能力を身につけていれば、どんな激しい交通のところでも、あたしたちみたいにきょろきょろする必要はないし、暗いところで必要以上に警戒することもないわね」

「ああ、進化の方角がそうなのはいいが、だからといって、なにもおれたちの子供に、そのはじまりが現れなくてもいいだろうにな」

という男の声には、不運へのなげきがこもっていた。

「また、いつものぐちになってしまったわね。坊やはふつうの子よりすぐれた能力を持っているのだし、先生がするテストでも智能だってずっと進んでいるそうだから、むしろ喜んでいいのかとも思うんだけど、それが少しも喜べないわね」

「そのすぐれていることが、不幸なのだよ。世の中では、ひとと同じであることが幸福なんだ。これには、理屈もなにもない。すぐれた能力を持った者の、かすかな欠陥を指さして、笑いものにするか、迫害するということは、一種の自衛本能なんだろうな」

「そうね。あたしたちだって、坊やがひとの子供だったら、そうするでしょうね」

「ああ。もし学者の言うように進化の流れなら、ほうぼうで坊やのような子供が、これからは生まれてくるのだろう。そして、どの両親も、おれたちのように苦しまなければならないのだ。過渡期のいたずらとはいえ、残酷すぎるな。うちの坊やも、早く生まれすぎたばかりに……」

「ほんとうにそうよ。ずっと未来の、坊やみたいな人間ばかりになった社会でなら、平穏な一生が送れるのに、あたしたちみたいな人間ばかりの世の中では、これからどんな一生を送らなければならないかと思うと、たまらないわ」

「おれも、いつもそのことを考えるよ。いまのうちは、人とも交際しないですむし、訪れてくるのは坊やに勉強を教え、テストし、そして坊やの能力を研究している、あの先生だけだ。現実には、あまりいやな思いを味わわないですむ。だが、一生このまま研究材料として扱われては、かわいそうだ」

「だけど、世の中に連れても行けないしね」

「そうだ。あの子はすなおだが、あまり迫害されれば、いやでも犯罪者になる以外はない。しかも、それにも使える能力なんだからな。それが本人にとって不幸なのは、実験材料の一生と同じことだな」

このような会話は、いままでに何回もかわされ、そして、いつも結論はなにも出ず、ため息に終る以外にないのだった。二人はふたたび闇のなかで黙った。

「パパ、ママ」

ふいに、そばで子供の声がした。

「あ、坊やは、いつのまにそばに来たのかい」

と驚いた男の声。

「どうしてパパもママも心配そうな顔をしているの。また、ぼくのことでなの」

「いや、パパもママも、心配なんかしていないよ」

「うそだよ。ずいぶん悲しそうな顔をしていたじゃないか」

「そうだね。坊やにうそはつけないな。暗いところでもなんでもわかるのだから」

「ぼくの暗闇で物のわかることがいやなら、これからそんなことを言わないように注意するよ」

「いいんだよ。心配してたのは、ほかのことなんだから。坊やの暗闇でもわかる力、まわりがいっぺんにわかる力。これはほかのだれも持っていない能力なんだから、誇りにしていたんだよ」

「そうだね、パパ。でも、なにか心配事があるんなら、お酒でも飲んだら」

「じゃあ、坊やの言う通りお酒を飲むとしようかね。ママも飲むだろう」

「ええ」

「じゃあ、ぼくが取ってきてあげるよ」

子供の声は、元気な駆ける足音とともに部屋を出ていった。

「ほんとに親思いの子ね。あれで、あんな能力なんか持って生まれてこなかったら、あたしたちどんなに幸福だったかしら。頭だって、普通の子よりいくら劣っていてもかまわないわ」

「もうよそう。いまさら、どうにもしようがないことだよ」

まもなく、グラスと盆のふれあう音をたてて、子供がもどってきた。

ガラスのふれる音と、酒のつがれる音。闇のなかに、酒のかおりがかすかに散りはじめた。

「さあ、これはパパのぶん。はい、これはママのぶん。手を出してよ」

「坊や、どうもありがとう。じゃあ、すぐれた能力をそなえた坊やのために、乾杯」

男の声は、無理にほがらかさをよそおった声だった。

「では、いただくわ」

しかし、グラスの床に落ちる音がひびいた。

「あらあら。こぼしてしまったわ。あなたの手がそんなところにあったなんて、わからなかったわ。ふかなくては。電気をつけましょう」

スイッチをひねる音と共に、部屋の電灯が明るくついた。いままで占めていた濃い闇は、一瞬のうちに消え去り、酒にぬれた服の両親が照らし出された。

そばでは、すぐれた能力の子供が、

「暗いところではなんにもわからないなんて、ほんとに不便なんだな」

と、にこにこ笑っていた。その能力を持つ者には不要な器官、眼のない顔を二人にむけて。

気前のいい家

ある夜ふけ。エヌ氏が自宅の部屋で本を読んでいると、ドアがそっと開いて、だれかがはいってきた。

「どなたです」

とふりむくと、そこには顔を黒い布でおおい、ナイフを手にした男が立っていた。

男は、ぶっそうなことを言った。

「おとなしくしていろ。さわぐと、痛い目にあうぞ」

しかし、エヌ氏は落ち着いた口調で答えた。

「なんです、そんなかっこうをして。捕物帳ごっこのつもりか。遊ぶのなら、よそでやりなさい。ここは、わたしの家だ」

「なにをとぼけている。おれは、金が目あてでやってきたのだ。さあ、金を出せ」

「ははあ、さては強盗だな」

「当り前だ。まったく、せわのやけるやつだな。この家は景気がいいらしいと、近所でうわさしている。それに、手伝いの人は夜になると帰り、ひとり暮しということも調べた。そこで、おれが乗り込んだのだ」

「実行前の調査も、ゆきとどいているというわけだな」

「金がないとは言わせないぞ。さあ、その金庫をあけろ」

「いやだな」

「いやだというのなら、まずおまえを殺し、そのあとでドリルと爆薬で金庫をこじあけることになる。しかし、それでは、おまえは命を失い、おれはよけいな手間を費やさなければならない。おたがいの損だ。なるべくなら、そうしたくない。さあ、どうする」

　強盗はナイフを振りまわした。やがてエヌ氏はうなずいて言った。

「うむ、なかなか論理的に話を進めるやつだな。殺されても金庫はあけないつもりだったが、その論理的なところが気にいった。あけてやろう」

　エヌ氏がダイヤルを回して金庫をあけると、なかには金貨がたくさんあった。強盗は目を細めた。

「すごいものだな」

「古今東西の金貨で、わたしのコレクションだ。これを持ってかれると思うと、残念でならない」

強盗はそれをポケットに移してしまってから言った。

「この調子なら、もっとなにかあるだろう。さあ、金目のものを、もっと出せ」

「そりゃ無茶だ。約束がちがう」

「約束なんかなんだ。あらためて出なおしたりしたら、つぎには、こううまくいかない。ぐずぐずいうなら、ナイフだ」

「わかった、わかった。出そう。機会をとらえたら、それをのがさず、とことんまで利用する性格が気にいった。じつは、ここにもしまってある」

エヌ氏は壁の絵をずらし、その裏の金庫をあけた。そこにも金貨が一袋あった。強盗はそれを受け取りながら言った。

「いやに気前がいいんだな。ふしぎでならない」

「気になるのだったら、いまからでもおそくない。悪いことは言わない。金貨を置いて帰ったらどうだ」

「冗談じゃない。そんなこと出来るものか。ここまできたら、ものはついでだ。あらいざらいもらっていこう。さあ、なにもかも出してしまえ」

「これは驚いた。いくらなんでも、それはひどいよ」

「つべこべ言うな。そのかわり、もう二度と強盗にははいらないでやるぞ」

強盗はまたもナイフをふりまわした。

「みんな持ってったら、二度と来る気にはならないだろうさ。うむ、よし、出してやろう。おまえの欲ばり、いや、あくなき利益追求の精神に感心したからだ」

エヌ氏が机のひき出しをあけると、そこには各種の銀貨がぎっしりはいっていた。

「たくさんあるな」

「これで終りだ。入れるものがないだろうから、カバンをやろう。少し旧式で重いカバンだが、途中でこぼさないですむ」

「いやに親切だな」

「気がとがめるなら、早いところ反省して、なにも持たずに帰ったらどうだ」

「とんでもない。これを持って、さっとここを出る。用意のオートバイで、さっと逃げる。めでたしめでたしだ。そのほうを選んだほうが賢明じゃないか。あばよ」

強盗は金貨や銀貨をつめたカバンを持ち、急いで部屋を出た。しかし、さっと逃げるというわけにはいかなかった。

そのとたん、ドアのあたりの床が割れて、下に落ちたのだ。強盗は穴のなかでしばらくぼんやりとしていたが、やがて声をあげた。

「おい、これはどういうわけなんだ」

「これはわたしの発明した、防犯用の非常装置。重量計と連絡してあり、はいった時にくらべ重みがましていると、自動的に床が割れて、人を落すしかけなのだ」

「ひどい装置だな。早く出してくれ」

「だめだ。警察を呼ばねばならぬ」

「ま、まってくれ。それだけは困る。金貨や銀貨はみんな返すから、かんべんしてくれ」

強盗からカバンを取りあげながら、エヌ氏は言った。

「ナイフもだ。それを持たせておくと、また振りまわすにきまっている」

「仕方ない。さあ、ナイフだ」

「それから、紙と万年筆を渡すから、ここへ強盗にはいりましたと、自白書を書いて指紋を押してくれ。それをもらい、わたしが信用する友人に郵送してから出してやる。つまり、こんご、わたしに反抗できないよう、おまえの弱みを押えておくわけだ」

強盗はぶつぶつ言ったが、このまま警官につかまるよりはと、それに従った。ひと通りすむと、エヌ氏は強盗を穴から出してやって言った。

「さて、これからおまえは、わたしの下で働いてもらわねばならぬ」

「ああ、ひどいことになった。しかし、いやだと言ったら、警察行きにされてしまう。いったい、なにをして働けばいいんです」

「販売だ。セールスマンになって、大いに売り込んでもらいたい」

「なにをです」

「この、わたしの発明した防犯装置をだ。効果のすばらしさについては、おまえは身にしみてわかったはずだ。説明の材料には、ことかかないはずだ。それにおまえの計画性、強引さ、理屈、機会をのがさぬ点、利益追求の精神。これらによって、きっと成績はあがるだろう」

「そういうしかけだったのか」

「そうだ。おかげで、わたしはさらに景気がよくなる。わが社に関しては、求人難なんてことはない。販売員は、おまえでちょうど三十人になった」

追い越し

明かるい日の光を受け、ハイウェイはずっと伸びていた。その男の運転する最新型の自動車は、郊外にむかって滑るように進んでいた。新しい車は、なにもかも調子がよかった。彼はこれから、新しくつきあいはじめた女の家を訪ねにゆくところだった。

「自動車は新しい型のに限る。いや、自動車ばかりではない。女の子も同じことだ。古い型のはなんでも、つぎつぎと払い下げ、新しい型のを手に入れる。これがおれの主義なんだ」

彼はこうつぶやきながらスピードをあげた。いくらかあけた窓からは風が流れこみ、彼のいかにもドンファンらしく見える顔にあたった。

軽く快くつづく振動は、彼に少し前に売り払った古い型の車のことを思い出させた。そして、それとともに、このあいだ別れた女のことに連想が移った。

「あなたは、あたしがきらいになったのでしょうね、そうなんでしょう」

彼が別れ話をきりだした時、そのモデルを仕事としているという女は、顔をひきつらせ、すがるような声で言ったのだった。

「いや、そういうわけでは……」

彼はあいまいに答えたが、女はますます真剣になった。

「ねえ、別れるのはいやよ。あたしを捨てないで」

「しかし、これ以上つきあうのは、おたがいのためにも、意味ないと思うんだが」

「あなたと会えなくなるのなら、あたし、死んでしまうつもりよ」

よくあるせりふだ。女はいつも別れ話の時には、こんな言葉を使う。だが、この手が通用するのなら、世の中で女と手が切れる者など、ないはずだ。彼はこう簡単に片づけ、べつの女に熱中しはじめたのだった。

しかし、まさか本当に死んでしまうとはな……。

しばらくして、彼女が自殺したのだ。彼はこのことを思い出すたびに、いやな気持ちになった。もちろん、別れた女に死なれては、だれでもいい気持ちではない。しかし、彼の場合には、それをさらに重苦しくさせることが加わっていた。それは、別れぎわに彼女が言い足した言葉だった。

「あたしは死んでからも、あなたにどこかで会うつもりよ。きっと会うわ。その時には、せめて手でも握ってね」

いったい、どういうつもりで、あんなことを言ったのだろう。彼はこの言葉が忘れられず、思い出すたびに不気味な感じにおそわれた。

「どうせ、いやがらせさ。その場の思いつきで、なんの気なしに口から出たんだ。気にすることはない」

彼はつぶやきながら、この気持ちをふりきるように、さらにスピードをあげた。そして、前を走っている一台の車に迫った。

しかし、彼は追い越すのを不意にやめた。前の車の後部座席に乗っている女のうしろ姿が、あの女に似ているように思えたのだ。彼はしばらく見つめていたが、やがて強く首を振った。

気のせいだ。気のせいだとも。きょうのおれは、どうかしている。彼女は、たしかに死んだのだ。いま、こんなことを考えていたから、ふと見た女が似ているように思えただけだ。こんな気分は、追い払わなければ。追い払うのは簡単さ。追い越しながら、顔をたしかめればいいのだ。

彼はふたたびスピードをあげ、追い越しながら、その女の顔に目を走らせた。

「あっ」

彼は悲鳴をあげた。それは疑いもなく、あの女ではないか。しかも、彼にむけて、手をさしのべている。

「握ってよ」

と呼びかけるように。彼は、思わず両手で顔をおおった。


「即死ですね。しかし、いったい、なんでこんな事故になったのでしょう。目撃なさっていて、なにか気がついたことはありませんか」

警官は手帳に書き込みながら、追い越されたほうの車を運転していた男に聞いた。

「まったく、わかりません。わたしの車を追い越して、しばらくいってから、電柱めがけてつき当ったんです。急に目まいでもしたとしか、考えられませんね」

「そうですか」

警官は手帳を閉じながら、なにげなく、その男の車のなかをのぞいて言った。

「ところで、うしろの席の女のかたは、なにかようすがおかしいようですが……」

「いや、あれはマネキン人形ですよ。わたしは、マネキン人形のメーカーをやっているのです。これから注文先に届ける途中なんです」

「なかなか、うまく出来ているものですな」

「ええ、これを作る時の、モデルがよかったのです。いいモデルでしたよ。しかし、気の毒なことに、男に振られて、しばらく前に自殺してしまいましてね」

妖《よう》精《せい》

窓のそとには、春の宵《よい》があった。もやがぼんやりと立ちこめ、そのなかにおぼろ月が浮いていた。草花のかげでは、白いチョウが静かに眠っている。

部屋のなかでは、十九歳の女の子ケイが、ひとり椅子《いす》にすわって、もの思わしげなようすだった。しかし、春という季節のために、ただわけもなく悩ましいというのではなかった。それは、はっきりした問題であった。

「なんとかして、あの人を見かえすことはできないものかしら」

彼女は小声でつぶやいた。あの人とは彼女と同いどしの女の子、アイのことだった。ケイとアイとは学校の時からの友だち。そして、学校を出てからも同じように演劇の分野に志し、現在もはた目には仲のよい友だちだった。

しかし、それはひとが見ればのことであって、ケイにとってアイは、ひとときも頭からはなれることのないライバルだった。

もちろん、ケイは学校の時の成績も悪くはなかったし、また美しくもあったし、演劇についての才能もあった。だが、自分とアイとをくらべてみると、いつも少しではあるが劣っているような気がしてならなかった。

なんとかして追い抜いてやりたい。そのことがケイにとっては悩みの種だった。とくに、このような夜には、それで心が一杯になってしまう。

「なにか、いい方法はないかしら」

またつぶやいてしまった時、どこからともなく声がしてきた。

「あるわよ」

高い、かわいらしい声だった。彼女はあたりを見まわし、声の主をみつけて、夢ではないかと思った。春のもやから抜け出してでもきたのか、淡い空色の服を着た小さな女の子が、窓のふちに腰をかけていたのだ。

そして、それが普通の子供ではないことがすぐわかった。第一に、とても小さく、フランス人形ぐらいの大きさだったし、背中にはすき通った大きな羽をつけていた。

彼女は思わず聞いてみた。

「あなた、だれなの」

「あたし妖精よ」

「妖精なんて、あるのかしら」

ケイは、よく見なおした。かわいい顔をしていたが、どこか人間とはちがった感情を持っているようにも思えた。

「ちゃんと、こうしているじゃないの」

「そうね。それでなにしにきたの」

「なにか困っているようなので、助けてあげようと思ってよ」

「なんでもできるの……」

「ええ、なんでもよ。お望みのことがあったら、言ってみたら。いくらでも、かなえてあげるわ」

ケイはしばらく考えていたが、やがて、こう言ってみた。

「すてきなボーイフレンドが一人ほしいわ。どうかしら」

妖精は背中の羽をゆっくり動かしながら、あっさり承知してくれた。

「いいわよ。二、三日ちゅうに、お届けするわ。あなたが街を歩いていると、その青年が話しかけてくるわ。やさしく、上品で、まじめで、お金持ちの青年よ。しかも、あなたに熱をあげている男よ」

彼女は、うれしくなった。そんな青年と知りあいになれることもうれしいが、これでやっと、アイをうらやましがらせることができる。アイにはまだ、ボーイフレンドがないのだった。そこで、なにげなく口にした。

「ありがとう。そうなったら、アイはきっとくやしがるわ」

しかし、妖精は首をふった。

「そうは、いかないのよ」

「それは、どういうわけなの」

「妖精がかなえてくれる願いの条件を知らないの……。物語で読んで知ってると思ったわ。妖精はどんな願いもかなえてあげるけど、同時にその二倍が、その人のライバルにもたらされるのよ」

「それじゃあ、アイはどうなるの」

「そのような青年を二人、ボーイフレンドに持つことになるわ」

彼女は、すてきな二人の青年が、争ってアイのごきげんをとっているところを想像すると、なんとなく気が進まなくなってきた。

「じゃあ、その願いはやめるわ。べつなことにするわ」

「いいわよ。なんでもかなえてあげるわ。宝石が欲しかったら、宝石が手に入るようにしてあげるわ」

「あら、その宝石がいいわ。前から、ルビーのついた指輪が欲しかったのよ」

妖精は聞きながらうなずいていたが、いじわるそうな笑いを浮かべて言った。

「ことわっとくけど、アイにはその倍の大きさの宝石が行くのよ」

ケイは、また気が進まなくなってきた。ルビーの指輪も、アイに見せびらかすことができないのなら、あまり欲しくなくなってしまったのだ。

「宝石も、やめとくわ」

「それじゃあ、なんにしましょうか」

「妖精って、ずいぶん、いじわるなものなのね」

「そうかしら。人間たちとくらべて、どっちがいじわるかしら。あたしたち妖精はなんでもしてあげるって言ってるのに、ことわるのは人間のほうなのよ」

「ちょっと待ってよ。よく考えてみるから」

彼女は夢中になって、妖精への願いごとを考えてみた。だが、なかなか考えつかなかった。服も靴《くつ》も欲しい物はいくらもあったが、同時にアイがその倍の数を手に入れるかと思うと、願いとして口には出せなかった。

こんどの公演で、いい役を得ることも、いつも望んでいたことだった。だが、それを実現させれば、アイはもっといい役を得てしまうのだ。

それを見ていた妖精はこう言った。

「困ってるようね。そんなにアイを見かえしてやりたいのなら、そうなるような願いを言ってみたら。かなえてあげるわよ」

「どんな願いを」

「自分がみにくくなるように願えば、アイはもっとみにくくなるわよ。自分の片手をけがするように願えば、アイは両手をけがするわ」

だけど、いくらなんでも、それを口にする気にはならなかった。ケイは、それほどばかでもなかったのだ。

「やっと思いついたわ。なんでも、きいてくれるのでしょう」

彼女は、ふいに目を輝かし、声をあげた。妖精はうなずいて、

「ええ、その通りよ」

「じゃあ、あのアイに取りついてちょうだい。できるでしょう」

それを聞いた妖精は、あまり驚かなかった。

「やっぱりね。みんな同じことを考えつくのね」

「できないって言うの」

「できるわ。だけど、行ってしまったら、戻ってはこられないのよ」

「かまわないわ」

すると、妖精は羽を動かしたかと思うと、夜のなかに消え去っていった。

妖精は、それから二度とあらわれなかった。ケイはその結果を待ったが、少しもいことは起らなかった。ずっとたって、彼女はやっとその理由に気がついた。

「あたしにとってアイはライバルだったけど、アイはあたしを、ライバルと思っていなかったんだわ」

彼女は妖精を逃がしてしまったことが、残念でたまらなかった。そして、あれは春の夜の夢だったのだと思いこもうとした。

だが、時どき、あの妖精があたしをライバルと思っている人にとりついて、幸運をもたらしてくれないかと思わずにはいられなかった。むりなこととはよく知っていても。

波状攻撃

小さな工場を経営しているエヌ氏のところへ、ある日、カバンをさげた見知らぬ男がたずねて来た。その男はもっともらしい口調で、こういった。

「じつは、たいへん便利な品を、お持ちいたしました」

エヌ氏は顔をしかめ、手を振った。

「なんだ、売り込みか。だめだ。いまは、なにかを買う余裕などない」

「そんなことは、ございませんでしょう」

「いや、本当だ。いい気になって大量に商品を作ったはいいが、他社がすぐに、さらに新型のを出してしまった。おかげで、少しも売れない。倉庫にぎっしりだ。身動きがとれず、正直なところ、夜逃げをしたいほどだ」

「そう情ないことを、おっしゃってはいけません。わたくしのお持ちした品は、それを一挙にさばいてしまう効能を持っております」

「どうせ、ご利益《りやく》のあるオフダといったたぐいだろう。いらないな」

「そんな非科学的なものでは、ありません。滞貨一掃の装置、とでも申しましょうか」

「一掃はいいが、無料で捨てるのならだれにでもできる。といって、代金を払って買い取ってくれる奇特な人など、いるわけがない」

「ありますとも」

と男は声をひそめた。話がこう進展し、エヌ氏は身を乗り出した。

「本当とすれば、耳よりの話だ。どういうことなのだ」

「火災保険金でございます」

「なるほど、不正な火災で、保険金を取るというわけか」

「とんでもありません。わたくしはただ……」

男は言葉を濁したが、エヌ氏はのみこみ顔でうなずいた。

「わかっているよ。警察へ通報するような、やぼなことはしない。しかし、うまくゆくものだろうか。火災を起したはいいが、あとの調査でばれたりしたら」

「そこです。しろうとのかたは、どんなにうまくやったつもりでも、どこかに手抜かりがあるものです。やはり、長いあいだこの方面を研究した経験のある者にご相談なさったほうが、有利、安全、確実というものでございましょう。すなわち、わたくしのことでございます」

「そういえば、そうかもしれない。で、それを引き受けてくれるというのか」

男は首を振って答えた。

「いいえ、わたくしとしても、自分で手を下すような危い橋は渡りません。適切な指示を、お与えするだけでございます」

「たとえば……」

とエヌ氏が聞くと、男はカバンを開いた。そして、レンズのようなものを取り出した。

「こんなものがございます。これは可燃性のプラスチックで、できています。だから、火災のあとに残って、証拠になったりはしません。これを窓ガラスにノリではりつけておく。一方、その焦点に燃えやすい……」

「わかった。名案だな。では、それを売ってくれ」

「いけません。しろうとは、それだから発覚するのです。これを使って、あとで不審を抱かれないですむかどうかは、現場を拝見してからでないと、なんともいえません」

エヌ氏は、男を倉庫に案内した。男はひとわたり見てから、断定した。

「レンズによるこの方法は、使えません。窓の位置が不適当です。それに、日光を利用するのですから、昼間の火災となり、煙を早期に発見され、すぐに消火されてしまいます」

「となると、だめだというわけか」

「がっかりなさっては、いけません。そこが専門家です。やはり、漏電が最適でしょう。これをお使いになれば、いいのです」

男はカバンから、こんどは小さい四角い箱を出した。エヌ氏は質問した。

「なんだ、それは」

「わたくしの苦心の発明です。時限漏電発生装置と呼ぶものです。もちろん、燃えたあとには、なにも残りません。これを電気配線の、わたくしの指示する個所にとりつければいいのです」

「うむ。すばらしい装置だな」

「あ、むやみにいじらないで下さい。そのボタンを押してから、正確に二日後に漏電が起ります。申しあげるまでもありませんが、その時は、ご出張でもなさっていて下さい」

エヌ氏はすっかり感心し、高い代金を払ってそれを買った。そして、思いついたように声をあげた。

「これはいかん。すっかり忘れていたが、まだ保険に入っていなかった。みごと火災に成功したはいいが、保険に入っていなかったでは、どうしようもない。さっそく加入しなければならない」

「それでしたら、わたくしの知りあいがやっている代理店の者を、明日にでも参上させましょう。代理店にも、加入の時にうるさく調べるのと、そうでないのとがありますから」

「それはありがたい。なにからなにまで、お世話になるな。よろしくたのむ」

「いいえ、これはサービスでございます」

こう言って、男は帰っていった。

つぎの日になると、男が言い残していった通り、代理店の者がやってきた。エヌ氏は高額の加入を申しこんだが、相手はあっさりと認めてくれた。万事は順調に進行しはじめた。

しかし、エヌ氏は二カ月ほど時機を待った。保険料を払ってすぐでは、いくらなんでも怪しまれる。急いで失敗しては、もともこもなくなる。

そして、もうそろそろ大丈夫だろうと、実行に移った。例の装置を取りつけ、ボタンを押し、出張の旅に出かけたのだ。帰ってくるまでに、滞貨は一掃され、現金にかわっているわけだ。

そして、四日ほどして帰ってみたが、なんの変化もない。倉庫はそのまま、ドアをあけてのぞいても、商品ひとつこげていない。例の装置も、そのままだ。エヌ氏は首をかしげながら取りはずし、なかを調べてみて驚いた。プラスチックの破片が入っているだけ。これでは効果のないことなど、機械の知識のないエヌ氏にも、すぐにわかった。ひどいいんちきだ。こんな品を、もったいをつけて高く売りつけるとは……。

警察に訴えることもできず、腹が立ってしようがなかった。そこでエヌ氏は、代理店に聞いてみることにした。やつの住所かなにかが、わかるかもしれない。おいていった名刺にある電話番号にかけると、こんな返事だった。

「番号ちがいでしょう。うちは、火災保険の代理店などではありませんよ」

念のために保険会社に問いあわせると、答はこうだった。

「そんな代理店はありません。あなたも不注意だったようですが、保険料を詐取するとは悪質です。警察にお届けになって下さい」

またしても、してやられたわけだ。エヌ氏は文句の持ってゆき場もなく、歯ぎしりするだけだった。その時、そこへやってきた訪問者は、こう言った。

「じつは、お役に立つようなお話で……」

「いまは、だれとも話などしたくない」

と断わるエヌ氏におかまいなく、

「わたくしは探偵社をやっております。近ごろは不景気につけこむ、巧妙な詐欺が横行しております。しかし、被害者のほうにも弱味があって、表ざたにできず、泣き寝入りになってしまうことが多い。わたくしはそれを専門に引きうけ、解決してさしあげている探偵社です。秘密は守り、料金もお安く……」

それを聞いて、エヌ氏は思わず身を乗り出した。しかし、やがて考えなおしたようにつぶやいた。

「もうたくさんだ。そんなことをくりかえしていたら、夜逃げをする費用すら残らなくなってしまうだろう」

ある研究

「ねえ。あなた」

と、妻が呼びかけた。その男はふきげんそうに顔をあげ、ふりむきながら応じた。

「なんだ。いまは忙しいんだ」

「その、わけのわからない研究とやらは、いったい、いつになったら片がつくの」

「わからん。すぐのような気もするが、あるいは、意外に手間どるかもしれない」

「あたしと研究と、どっちが大切なの」

「さあ……。まあ、どうでもいいじゃないか、そんなことは」

「よくないわよ」

「おれはこの研究に、なぜだかわからないが、心をひかれている。なにか、すばらしい結果がもたらされそうに思えてならないのだ」

「そんな、いいかげんな研究より、あたしのほうが大切なのは、わかりきったことじゃないかしら」

彼女の語調は、しだいに強まってきた。彼は当惑したような、あいまいな声を出した。

「ああ……」

「変なことに熱中するのは、いいかげんでやめて、まともに働いてよ。あたし、新しい毛皮が欲しいの」

「そのうち手に入れてやる。待ってくれ」

「もう待てないわ。いまのままをつづけたいのなら、あたしが出て行くわよ」

「わかったよ」

彼は適当にごまかそうとしたが、妻の追及はゆるまなかった。

「どうわかったの」

「みなに手伝ってくれるよう、たのんでみる。みなの助けが得られそうになければ、今度こそ、きっぱりあきらめる。本当だ」

「じゃあ、これからすぐに、出かけてよ。これ以上、どっちつかずの気持ちで毎日をすごすのは、ごめんだわ」

男は追い立てられるように外出した。

「……というわけです。どうでしょう。あなたから、みなに命じていただけませんか」

と、男は言った。権力者である老人は、うなずきながら、その話に耳を傾けていた。しかし、やがて、気の毒そうに首をふった。

「きみの熱心さはわかる。しかし、みなをなっとくさせることは、わしにも無理だろうな。もっとも、それがどんな役に立つのかを、はっきり説明できれば、なんとかなるかもしれないが。……どうなのだ、この点は」

「出来てみなければ、なんとも言えませんが、きっと驚くほど役に立つでしょう。わたしが想像しているよりも、はるかに……」

「そんなあいまいな話では、どうにもならん。それに危険なことは、わしにさえわかる。また、みなはきみのやっていることを悪魔のように恐れ、なかには、きみに近づかれるのをいやがるものすらある。だから、みなに命ずる気になれないのだ。へたをすると、わしまで、いまの地位を失いかねない」

「どうしてもだめでしょうか。戦争に費す労力の、ほんの一部分程度でいいのです。少しでも早く完成するのが、すべての人のためだと、わたしは心から信じているのですが……」

「だめだ。わしは、きみのために忠告するよ。このへんで思いとどまって、家族を安心させてあげなさい」

「そうでしょうか……」

と、男は未練を残した。どうにも、あきらめなければならない情勢だった。彼は老人と別れ、力なく、妻のところへと戻った。

「どうだったの」

と、彼女は迎えた。男はゆううつそうに、

「だめだそうだ」

「だれだって、そう答えるわよ。さあ、あの変な物をみんな捨てて、それから、毛皮を手に入れてきてちょうだい。まもなく冬よ。あたし、寒いのはきらいなの」

「しかし、寒さなど……」

男はこう言いかけたものの、もはや、すべてを断念していた。彼はいろいろな研究用の資料を抱えあげ、ふたたび外へ出た。

各種の太さの木の棒、くぼみのある板。板のくぼみのまわりは、かすかだが黒くこげている。彼はそれを、残念そうに手でなでた。

もうちょっとなのだろうが、いつも途中でくたびれ、棒を板にこすりつづける作業を、中断しなくてはならなくなる。だれかに手伝ってもらい、交代でやりさえすれば、板の熱はもっと高まり、ついには、火となってくれそうな気がしてならないのだった。

「火を作れるのは、神か悪魔だけに許された仕事なのかもしれない。あるいは、作ってみたところで、なんの役にも立たないかもしれない。また、たしかに危険なことでもある。だけど、本当に作れたとしたら、どんなにかすばらしいことだろうな……」

男はつぶやきながら、そばの川に投げこんだ。棒や板は、水に乗って流れ去っていった。人類が火を所有するには、かくして、また何万年かの時間を待たなければならなかった。

プレゼント

「おい、見ろ。あの星で、しきりに核爆発が起っている」

「そうか。文明がその段階に達したとなると、ぐずぐずしているわけにいかない。では、早いところ、例のものを送りつけることにしよう」

宇宙の一角にあるラール星の住民たちは、こんなことを話しあい、やがて一台の宇宙船を発射した。


「なんだ、あれは。妙なものが現れたぞ」

と、ひとりが空を指さしながら叫んだ。

「飛行物体のようだな」

「たぶんね。知りたいのは、どこの星から発射され、なんの目的でこの地球に飛んできたかだ」

「わかるものか。なかに入っているものが判明するまでは」

だれもが空を見あげて大さわぎをしているうちに、それは郊外の原っぱに落下した。

正体不明の飛行物体が、地球製のものでないことは、すぐにわかった。それは、あまりにも大きかったのだ。百階建てのビルぐらいあった。人びとは首をかしげ、好奇心と不安のまざった視線を集中しつづけた。

そのうち、その銀色の物体の一部に音がした。きしむような響きとともに、ドアらしきものがゆっくりと開いた。

「いよいよ、なにか出てくるらしい」

「どんなやつだろう」

あたりの緊張は高まった。しかし、その静けさはすぐにおわった。いっせいに悲鳴がおこったのだ。

「危ない。逃げろ」

「なんと恐ろしい怪物だろう。ふみつぶされるぞ」

たしかに、怪物としか呼びようがなかった。トカゲとカバとをいっしょにしたような姿だったが、ちょっとしたビルほどの大きさで、太い六本の足でのそのそと歩きはじめた。そして、歩くたびに、足の下にあった物は、なにもかもふみつぶされた。しかも、一匹でなく、十匹ちかく現われた。

色はさびた鉄のような色だった。色ばかりでなく、丈夫さも鉄ぐらい、いや、それ以上だった。だれかが反射的に銃をむけて引金をひいたが、弾丸は皮膚ではねかえされた。

ただちに非常警戒網がはられた。人びとは避難し、かわって、遠まきに武器が用意された。

「ねらえ。うて」

バズーカ砲が、つづけざまに発射された。だが、怪物はいっこうにひるまなかった。

「だめだ。ミサイルを使おう」

しかし、ミサイルも、あまり効果をあげなかった。怪物たちは大きいくせに意外に動きがすばやく、巧みに身をかわされて、なかなか命中しなかった。身をかわされるたびに、その下敷きになって、いくつかの建物が押しつぶされた。

とても、一国だけの手に負える相手ではなかった。各国に応援が求められ、各国はそれに応じた。ほっておいたら、世界じゅうが荒らされてしまいそうに思われたのだ。すでに、怪物たちは繁殖をはじめるけはいを示している。

国際間の対立は、もちろんたなあげとなり、怪物問題にすべての力が集められた。情報と研究が交換され、あらゆる科学力が動員された。高圧の電流を通じた鉄条網が張られ、各種の毒を入れたえさがまかれ、地雷が埋められ、催眠ガスが使用された。このうちのどれが有効だったのかわからないが、あばれつづけていたさすがの怪物たちも、ついにまいった。

みなはほっとし、手を握りあいながら、話しあった。

「やっと退治できた。大きくて強いが、それほど利口でもなかったようだ」

「ああ、一時は、どうなることかと思った。とんでもない怪物を、おくりつけてきたものだな。だが、これで安心とはいえまい。これからも、あることにちがいない。われわれは地球上での争いは打ち切りにして、宇宙からの相手にそなえなければならないだろう」

「その通りだ。考えてみれば、いままでの原水爆の実験競争など、実にばかばかしいことだった。そのようなくだらないことは、こんご二度としないことにしよう」

「そのご、核爆発は認められません」

ラール星の天文台は、こう発表した。

「よかった。われわれの心のこもった贈り物が、役に立ったようだ」

「当り前さ。こんなかわいい生物を見たら、だれだって心がなごやかになり、殺気だった気持ちも静まってくる。あの星の住民たちも、いまごろは、さぞ喜んでいることだろう」

こう話しあいながら、ラール星の巨大な住民たちは、足もとにじゃれつく六本足のペットたちの頭を、目を細めてなでた。

肩の上の秘書

プラスチックで舗装した道路の上を、自動ローラースケートで走りながら、ゼーム氏は腕時計に目をやった。

四時半。会社にもどる前に、このへんでもう一軒よってみるとするか。ゼーム氏はこう考えて、ローラースケートの速力を落し、一軒の家の前でとまった。

ゼーム氏はセールスマン。左手に大きなカバンを下げている。このなかには、商品がつまっているのだ。そして、右の肩の上には、美しい翼を持ったインコがとまっている。もっとも、このようなインコは、この時代のすべての人の肩にとまっている。

彼は玄関のベルを押し、しばらく待った。やがてドアが開き、この家の主婦が姿をあらわした。

「こんにちは」

と、ゼーム氏は、口のなかで小さくつぶやいた。すると、つづいて肩の上のインコがはっきりした口調でしゃべりはじめた。

「おいそがしいところを、とつぜんおじゃましまして、申し訳ございません。お許しいただきたいと思います」

このインコはロボットなのだ。なかには精巧な電子装置と、発声器と、スピーカーをそなえている。そして、持ち主のつぶやいたことを、さらにくわしくして相手に伝える働きを持っている。

しばらくすると、主婦の肩にとまっているロボット・インコが答えてきた。

「よくいらっしゃいました。だけど、失礼ですけど、あたくし、もの覚えがよくございませんので、お名前を思いだせなくて……」

ゼーム氏の肩のインコは首をかしげ、彼の耳にこうささやいた。

「だれか、と聞いているよ」

このロボット・インコは、相手の話を要約して報告する働きもするのだ。

「ニュー・エレクトロ会社のものだ。電気グモを買え」

彼のつぶやきに応じて、インコは礼儀正しく話した。

「じつは、わたしはニュー・エレクトロ会社の販売員でございます。もちろん、ご存知のこととぞんじますが、長い伝統と信用を誇る会社でございます。ところで、きょうおうかがいしたのは、ほかでもございません。このたび、当社の研究部が、やっと完成いたしました新製品をお目にかけようと思ったわけでございます。それは、この電気グモでございます……」

ここでゼーム氏はカバンをあけ、なかから金色に光る昆虫のクモのような、小さな金属の機械をとりだした。肩のインコは、しゃべりつづけた。

「……これでございます。背中などかゆくなった時に、下着のなかにそっとしのばせますと、かゆい部分にひとりでたどりつき、この手で快くかいてくれます。便利なものでございましょう。おたくのような上品なご家庭には、ぜひ一個おそなえになられたらよろしいとぞんじまして、とくにお持ちいたしたわけでございます」

ゼーム氏のインコの話が終ると、主婦の肩のインコが、ゼーム氏に聞こえない小声で彼女の耳にささやいた。

「自動式の孫の手を買え、と言っています」

主婦が「いらないわ」とつぶやいたので、インコはそれをくわしくしゃべった。

「すばらしいわ。おたくの社は、つぎつぎと新製品をお作りになられるのね。だけどうちでは、とてもそんな高級品をそなえるほどの余裕が、ございませんもの」

ゼーム氏のインコは「いらないそうだ」と要約し報告したが「そこをなんとか」という彼のつぶやきで、インコの声は、一段と熱をおびた。

「でもございましょうが、こんな便利な品はございません。手のとどかない背中もかけますし、お客さまの前でも、気づかれません。それに、仕事を中断しての、つまらない労力がはぶけます。お値段もぐっとお安くいたしてあります」

「ぜひ買え、と言っていますよ」

「うるさいわね」

主婦の肩のインコは、彼女とささやきあってから、こう答えた。

「でも、あたくしは、品物を買う時には、すべて主人と相談してから、買うことにしておりますの。あいにく、主人がまだ帰ってまいりませんので、いまはちょっと、きめかねるんですの。今晩でも、よく話してみますから、また、おついでの時にでも、お寄りになっていただけません。あたくしは欲しいんですけれど、それがだめなのよ。本当に残念ですわ」

ゼーム氏のインコは、それを彼に要約した。

「帰れとさ」

ゼーム氏はあきらめ、電気グモをカバンにしまいながら、つぶやいた。

「あばよ」

肩のインコは別れのあいさつを、ていねいにつげた。

「さようでございますか。ほんとに残念でございます。では、近いうちに、またおうかがいさせていただくことにいたしましょう。どうも、おじゃまいたしました。どうか、ご主人さまにも、くれぐれもよろしく」

玄関を出たゼーム氏は、インコを肩にとまらせたまま、ふたたびローラースケートのエンジンを強め、会社にもどった。

机にむかって、電子計算機のボタンを押し、きょうの売上げの集計をしていると、

「おい、ゼーム君」

と、部長の肩のインコが呼んだ。

「やれやれ、また、お説教か」

ゼーム氏がつぶやくと、肩のインコは部長に答えた。

「はい。すぐにまいります。ちょっと、机の上の整理をすませまして……」

やがて、ゼーム氏は部長の机の前に立った。コーヒーのかおりがした。噴霧器で口のなかにシュッとやったのだろう。部長の肩のインコが、もっともらしくしゃべった。

「いいかね、ゼーム君。わが社の現状は、いまや一大飛躍をせねばならない、重大な時だ。それは、きみもよく知っていることと思う。しかるにだ、このところ君の成績

を見るに、もう少し上昇してもいいのではないか、と考えたくなる。はなはだ遺憾なことと、言わざるをえない。ぜひ、この点を認識して、大いに活動してもらいたい」

ゼーム氏のインコは「もっと売れとさ」とささやき「そう簡単に行くものか」と、ゼーム氏はささやきかえした。肩のインコは、神妙な口調で部長に言った。

「よくわかっております。わたくしも、さらに売上げを増進いたす決心でございます。しかしこのごろは他社も手をかえ、品をかえ、新しいことをやっております。販売も、以前ほど楽ではございません。もちろん、わたくしもさらに努力いたしますが、部長からも、研究生産部門に、もっとぞくぞく新製品を作るよう、お伝えいただけると、さらにありがたいとぞんじます」

ベルが鳴り、退社の時刻となった。やれやれ、やっときょうの仕事がすんだ。肩のインコを、ロッカーにしまう。だが、一日じゅう売りあるくと、まったく疲れる。帰りにバーにでも寄らなくては、気分が晴れない。ゼーム氏は、ときどき寄るバー・ジョーカーのドアを押した。それをみつけたマダムの肩のインコが、なまめかしい声でむかえた。

「あら、ゼームさん。いらっしゃいませ。このところ、お見えになりませんでしたのね。ゼームさんのような、すてきなかたがいらっしゃらないと、お店のムードがなんとなくさびしくて……」
ゼーム氏にとっては、このひとときが、いちばんたのしい。

被害

「おい、起きろ」

真夜中。ひとり静かに眠っていたエル氏は、聞きなれぬ声を耳にし、目をさました。しかし、起きあがろうとしても、身動きができなかった。自分のからだが、ベッドにしばりつけられていたのである。見まわしてみると、人相のよくない男がそばに立っていた。

「だれだ。なんでこんなことをする」

「だれでもいい。大声をたてるな。金を出せ」

と、相手は簡単明瞭《めいりょう》に言った。エル氏はそれで、この男が強盗であることを知った。

「金はない」

「いいかげんなことを言うな。しばらく前ならそうだったかもしれないが、いまはそうではないだろう。このあいだから急に景気がよくなったと、もっぱらの評判ではないか」

「たしかにわたしは、ずっと、食うや食わずの哀れな生活をつづけてきた。しかし、このところ、やっと金まわりがよくなってきた。よそでのうわさに、まちがいはない」

「それなら、金があるはずだ。さあ、金のありかを教えろ」

「気の毒だが、金はない」

「ばかにするな。そんな理屈は通用しないぞ」

「金はある。だが、手もとにはおいておかない。銀行に預けてあるのだ。泥棒などに持っていかれては、ばかばかしいからな。というわけで、さしあげる物はなにもない」

「なんだと。しかし、そう言われたからといって、おめおめ引きかえすわけにはいかない。あれはなんだ」

と、強盗は部屋のすみを指さした。

「金庫ですよ」

「それぐらいは、見ればわかる。立派な金庫ではないか。いままでに、これほどのは見たことがない」

強盗が感心するほど目立つ金庫だった。ダイヤルがついていて、大きく、どっしりとしていた。エル氏はにっこりした。

「いい金庫でしょう。特別製です」

「なかには宝石かなにか、よほど金目のものが入っているにちがいない」

「宝石ではありませんよ。貴金属、芸術品のたぐいでもありません。つまらないものです」

「おい、クイズをやりにきたのではない。早くあけて、なかのものを渡せ」

「だめです。あけるわけにはいきません」

「よほど、貴重なものらしいな。金もうけのマスコットのようなものか」

「まあ、それと似たようなものです。だけど、なんでもいいじゃないですか、そんなことは」

「なにがいいものか。このまま帰ることはできない。さあ、あけろ」

「あけることはできませんよ」

「なぜだ」

「第一、こうしばられていては、動きようがありません」

「そうだな。だが、ほどいてやると、すきを見て逃げ出さないとも限らない。よし、おれがあけるから、番号を言え」

「しかし……」

と、なおもエル氏が言を左右にするので、強盗はついに刃物を出し、荒々しい声で言った。

「おい、いいかげんにしろ。おれは遊びに来たのではない。手ぶらでは帰らないぞ。どうしてもあけ方を教えないのなら、この刃物で突きさすことにする。まさか、命より大事なものではあるまい」

その勢いにのまれ、エル氏はうなずいた。

「わかりましたよ。殺されては、なにもかも終りです。言いますから、手荒なことだけはしないで下さい」

「よし。さあ、教えろ」

エル氏は番号を言い、強盗はそれに従って金庫のダイヤルを回していった。回し終ると、目を輝かせながらとびらを引き、のぞきこんだ。

「なんだ。からっぽじゃないか。ばかばかしい」

強盗はこうつぶやきながら、はじめの勢いとは反対に、世にも情ない顔つきになった。そして、盗むものがなにもないので、すごすご引きあげていった。

それを見送ったエル氏はほっとし、ひとりごとを口にした。

「やれやれ、やっと帰った。朝になれば、だれかが助けにくるだろう。しかし、驚いたな。あの泥棒め、とんでもないものを持ち帰ったぞ。なにしろ金庫のなかには、昔からわたしにつきまとっていた貧乏神がとじこめてあったのだ。このあいだやっと、うまくだまして、封じこめることに成功した貧乏神だ。貧乏神のやつめ、かんかんになっていたとみえて、開いたとたん、相手をかまわず、目にもとまらぬ勢いで、強盗のポケットに飛びこみやがった」

なぞめいた女

その女は夕ぐれの街を、なにか思いつめたようすでさまよっていた。二十歳ぐらい。容貌《ようぼう》も悪くはなかった。しかし、通りがかった警官は、気になるものを感じ声をかけた。

「もしもし、不審尋問をしようというのではありませんが、なにかお困りのことでも……」

万一、川や線路に飛び込み、自殺などされたらことだと思ったからだった。女は立ち止り、顔をあげた。だが、首をかしげたままで、答えようとしなかった。警官はいつもの癖で、手帳を出しながら質問をつづけた。

「お住まいはどちらですか」

「それが……」

女は言いかけたが、そこで口ごもった。

「ははあ、家出をなさったのですね。考え直したほうがよろしいと思いますよ。家出はすべて、哀れな結末になるものです。もし、ひとりで帰りにくいのでしたら、お送りしましょう。さあ、お名前と住所とをおっしゃって下さい」

「それが……」

女はまたも口をつぐんだ。

「遠慮なさることはありません。どうなさったのです。家出ではなく、べつな事情があるのですか。さしつかえなければ、お話しになって下さい」

女は手でひたいを押えながら、やっと話しはじめた。

「お話ししたいんですけれど、なにも思い出せないんです。住所や名前さえも……」

警官はしばらく、目をぱちぱちさせるだけだった。こんな事件は、はじめてだ。

「ははあ、記憶喪失症とかになったわけですね。なんで、そんなことになったのです」

「それも思い出せませんわ」

記憶喪失なら、それも当然だろう。事情がわかってみると、ほっておくこともできない。署に連れて帰ることにした。

警察は、とんでもないものをしょいこんだ形になってしまった。まず、ハンドバッグをあけさせたが、名刺や定期券のたぐいは見あたらず、役に立ちそうな品はなかった。署員たちは、思いつくままに、いろいろな質問をし、彼女のほうも首をかしげたり、目をつぶったり、つめをかんでみたりした。だが、事態は少しも進展しなかった。

容疑者なら、おどかして口を割らせることもできるが、この場合はそうもいかない。また、身もと不明の死体よりも、はるかに始末が悪かった。死体なら発見した場所を手がかりにもできるし、服をぬがせて解剖して調べることもできる。しかし、生きていては……。

やがて、警察の嘱託医が呼ばれた。ひと通り診察をすませたあと、

「頭をなぐられたり、薬品をのんだりしたようすもありません。心理的なショックが原因ではないかと思われます。わたしの手にはおえません。一流病院の、専門医にまかせるべきでしょう」

それを聞き、みなは顔を曇らせた。専門医にまかせるのもいいが、全快までどれくらいかかるものか、見当がつかない。本人の素性がわからないのだから、健康保険も利用できない。もし、この症状がつづいたら、金がかかる一方だ。

犯人なら検察庁へ送ればいいし、酔っぱらいなら説諭して追い帰せる。死体ならば、冷凍室に入れっぱなしでもいい。だが、記憶喪失では、そうもいかないのだ。

その夜はいちおう、署内にとめることにした。明日まで待ち、やはり変化がないよ

うなら、新聞社に連絡し、記事にしてもらうより外に方法はなさそうだ。写真を見て、知人があらわれないとも限らない。

　つぎの朝、警官は女に聞いた。

「どうですか。ひと眠りなさって、なにか思い出しませんでしたか」

「ええ、だめですわ。だけど、数字が浮かんできましたわ。あたしと関係があるような気がするんですけど……」

と、女は一連の数字を言った。警官はそれを書きとめ、しばらく考えていたが、

「もしかすると、電話番号かもしれません。これを手がかりに、調べてみましょう」

　さっそく手配がなされ、電話の持ち主である男が出頭してきた。

「お忙しいところをおいでいただいて、申しわけありませんが、じつは、あの正体不明の女を持てあまし、みな困りきっているのです。あなたがご存知だと、助かるのですが」

　警官の指さす女を見て、男はうなずいた。

「知っていますとも。わたしはある劇団の演出家で、彼女は俳優です。どうしてここに……。なにか悪事でも……」

　警官はほっとした。確実な引き取り先が見つかれば、それでさわぎは終りとなる。

「いや、保護してさしあげただけです。どうぞ、お連れになって下さい。彼女はなにか、精神的なショックを受けているようです。なぐさめてあげれば、すぐよくなるでしょう」

「そういえば昨日、劇のことでちょっと注意をしました。そんな下手な演技が通用するのは、しろうとか子供相手の時ぐらいだろう。真価を発揮してみせろ。そうでないと、こんどの主役など、とんでもない。と、いったようなことです。しかし、そうひどいショックを与えたとも思えませんが」

　男は弁解めいた口調でふしぎがった。だが、警察にとって、そんなことまで立入る必要はない。問題さえ片づけばそれでいいのだ。

「なにはともあれ、われわれは安心しました。一時は、どうなるかと思いましたよ。では、お大事に」

　警察は二人を送り出した。男にともなわれて帰りながら、女はこっそりとささやいた。

「こんど上演する〝記憶を失った女〟の主役のことですけど……」

キツツキ計画

都会からはなれた森のなかに、小さな家があった。しかし、それは別荘などではなく、悪人団の本部だった。

ある日。その首領は、ここに子分たちを呼び集めて言った。

「大きな計画を思いついたぞ。おまえたちにも、ひと働きしてもらわなければならない」

「銀行強盗でもやろうというのですか」

と子分たちは身を乗り出した。だが、首領は手を振った。

「いや、そんなけちなことではない。いままで、だれひとり考えもしなかったような、どえらい仕事だ。どうだ。やってみるか」

「やりますとも。命令を出して下さい」

「それでは、まず町へ行って金網を買ってきてくれ」

それを聞いて子分たちは首をかしげた。

「なんに使うのですか」

「大きな鳥小屋を作るのだ」

「気はたしかなんですか。ちっとも、どえらい仕事とは思えませんが」

「そのなかで、たくさんのキツツキを育てるのだ」

「ますます、わからなくなりました」

とふしぎがる子分に、首領は言った。

「おまえたちにもわからないとなると、だれにも気づかれることなく、この計画を進めることができそうだ。成功への自信がついてきたぞ」

「いったい、キツツキをどうするのです」

「押しボタンを見ると、クチバシで突っつくように訓練する。そして、町にむけて飛び立たせるのだ。どうなると思う」

「家の門などについている、ベルのボタンを押すでしょうね」

「そうだ。そればかりではない。火災用だの、防犯用だのの非常ベルを、いたるところで押すわけだ」

説明されているうちに、子分たちにもしだいにわかってきた。

「警察は、さぞあわてるでしょう」

「そのほか、オートメーション工場に忍びこんでボタンを押しまくれば、変な品物がぞくぞく出てくる。電子計算機のある部屋に飛びこんでキーを押せば、めちゃくちゃな答えが出はじめる」

「町じゅう、大混乱になりますね」

「そこだよ。そこへわれわれが乗りこむ。どさくさまぎれに、欲しい品物を手当りしだいに持ってこれるというわけだ」

「なるほど、なるほど。わかりました。さすがに首領だけあって、すごい計画です。さっそく、とりかかりましょう」

子分たちは大きな鳥小屋を作り、キツツキを育て、数もふやした。毎日エサをやりながら、クチバシでボタンを押すように訓練した。

やがて、これでよしと見きわめをつけた首領は、キツツキをいっせいに飛ばせた。

「さあ、ラジオを聞きながら待とう。まもなく、大さわぎのニュースが放送されるだろう。そうしたら、われわれはトラックに乗って出発するのだ」

しかし、いくら待っても臨時ニュースは放送されなかった。夜になって待ちくたびれたころ、こんな平凡なニュースが放送された。

「きょう、町はずれにある鳥の研究所にいたずら者が入りこんだらしく、ドアをあけるボタンが、しらないまに押されてしまいました。そのため、実験用に飼っていた、たくさんのタカが飛出してしまいました。しかし、夕方になると、ほとんどが戻ってきました。犯人はまだ不明ですが、このタカによって被害を受けたかたは、研究所へ申し出れば、損害に相当するお金を払ってくれるそうです……」

これを聞いて、悪人たちはがっかりした。はじめに、とんでもないボタンを押してしまったようだ。せっかく飛ばせたキツツキが、みなタカに食べられてしまったらしい。大もうけの計画がだめになり、大損害だ。しかし、だからといって、このことを申し出るわけにはいかない。

診断

ほかにだれもいない部屋のなかで、その青年はベッドの上に横たわり、なにごとかを考えつづけているようすだった。だが、やがて目を開いた。口もとには決意を示す表情があらわれていた。彼は立ちあがり、ドアに歩みよって声をはりあげた。

「看護婦さん。お願いです。ちょっと来て下さい」

まもなく足音がドアのそとに止まり、女の声となった。

「どうしました。大声をあげたりして」

「ぜひ院長に会わせて下さい。会って、よくお話ししたいことがあるのです」

「なんです。またですか。先生はお忙しいんですよ。いつものような話なら、先生のおひまな時にして下さい」

好意のこもらない返事だったが、青年はそれを押しきるような調子で言った。

「そう言わずに、ぼくの身にもなって下さい。こんな状態がずっとつづくと考えると、いてもたってもいられない気持ちです。ぼくは今まで、ずっとがまんしてきたし、なんとかあきらめようと思ったこともあった。しかし、それではいけないんだ。そのあいだにも、そとでは計画がどんどん進められているにちがいない。ほっておけば、手がつけられなくなってしまう。ぼくは、早くなんとかしなければいけないんだ」

「だけど、先生には今まで、何度もお会いになってお話ししたのでしょう。このごろは、特に回数がふえたではありませんか」

「お願いです。きょうこそは、なっとくのゆく解決をつけるつもりです。これが最後になってもかまいません。ぜひ、院長に会わせて下さい」

「じゃあ、うかがってきますから」

足音は去り、しばらくして戻ってきて答えた。

「先生がお会いになるそうです。でも、あまり時間をかけないように、お願いしますよ」

「わかりました」

そとから鍵《かぎ》がはずされ、ドアが開かれた。青年は看護婦のあとについて院長室にむかった。室の前で看護婦とわかれ、彼はドアをノックした。

「入りなさい」

彼はなかに入り、大きな机をあいだにして、院長とむかいあって椅子《いす》にかけた。

「やあ、気分はどうかね」

年配の院長はにこやかに話しかけたが、青年はそれに笑いかえそうともせず、せきこんだような口調でしゃべりだした。

「いいかげんで、ぼくをここから出して下さい。ぼくは健全なんだ。神経障害なんかじゃない。それはあなただって、よくご存知でしょう。もう、こんな生活はたくさんだ」

「まあ、落ち着きたまえ。よくなれば、いつでも出してあげるよ。わしだって、その日の早いことを祈っているんだ。しかし、まだ出してあげるわけにはいかない」

青年は手で机をたたいた。

「うそだ。みな伯父とあなたの、でっちあげなんだ。ぼくの後見人の伯父と、あなたとが共謀して、ぼくをここに押しこんだんだ。ぼくがここを出られる時は、ぼくの財産がすべてうまいぐあいにされてしまったあとだろう。すぐ出してくれないのは、そのためなんだ。早く出してくれ」

「落ち着きなさい。その妄想《もうそう》がいけないのです。きみはその妄想以外はすべてたしかなんだから、しばらく静養すれば、すぐに良くなるよ」

「ああ、あなたはいつもその調子だ。まもなく、まもなくだ、そう言いながら、そのやさしそうな顔の下で鬼のようなことを企《たくら》んでいるのだ。やい、伯父からいくら分け前をもらった」

「静かにしなさい。あばれるようなら、病室にもどってもらいます」

「ひどい。ぼくは確かなのに。ぼくをここに閉じこめておく理由はないはずだ。ちゃんとした診断もなく」

「診断書が見たいのなら、見せてあげる。それで気がすむのならば」

院長は椅子から立ちあがり、室のすみの棚から一枚の書類をえらび出して、青年に手渡した。青年はそれを受け取って、しばらく見つめていたが、

「こんなことだろうと思った。これは、あなたの診断ではないですか。これなら、なんとでも書けるわけだ。伯父とぐるになっているあなたの診断では、ここでは通用しても、世の中には通用しない」

院長は、少しけしきばんだ。

「いいかげんにしなさい。これは正確な診断だ。だれに見られても、信用されるものだ。さあ、それをおいて病室にもどりなさい」

青年は首をふった。

「いやだ。この診断書はかえせない」

「ねえ、きみ。きみがそれをかえさなくても、わたしにはまた作れるものだよ。それに、きみが考えているようにいいかげんなものとしたら、なおさらきみには不必要なものだろう。自分でも理屈が通らないことがわかるだろう。さあ、おとなしく部屋にもどるんだよ」

だが、青年はそれをかえさず、はじめて笑い顔を示して言った。

「ぼくは、これが欲しかったんだ。なんに使うと思いますか」

「わからんね。どういうつもりなんだ」

「あなたは伯父と共謀して、ぼくをこれだけ苦しめてきた。このことは忘れない。きっと復讐《ふくしゅう》してやるんだ。だが、どうしてもここから出られないのなら、せめてあなたに対してだけでも思い知らせてやる。それにはこの診断書があれば、なにをしても無罪だ。どうだ。これでも思考がおかしいか。ざまあみろ……」

青年は勝ちほこった声をあげながら、院長にとびつき、やにわに首をしめあげた。

しかし、院長は意識を失いかける寸前に、非常ベルに触れることができた。

ドアから飛び込んできた病院の者たちが、青年をとりおさえ、連れ去っていった。

「いや、危いところだった、あの患者は妙に頭が働く」

ほっとする院長に、一人があいづちをうった。

「そうですね。あいつは頭も悪くないし、まじめな青年です。問題は、自分に膨大な財産があるという妄想だけですね」

意気投合

銀色に輝く宇宙船は探検隊をのせ、はてしない空間を静かに飛びつづけていた。隊長は部下の一人に話しかけた。

「計器を見てくれ。いままで飛んだ距離を合計すると、どれぐらいになったか」

「はい。地球を出発してから、二千光年ほどになります。ずいぶん遠くまで来たものですね。それというのも、推進の性能が飛躍的に高まったおかげです」

この探検隊はすでに多くの星々を訪れ、かずかずの成果をおさめていた。

「文明を持った住民のいる星もいくつかあったが、気持ちよくつきあえたのはほとんどなかったな」

「ええ。低級な住民とでは、つきあっても意味がありません。といって、あまり高級なのも困りましたね。いんぎんな態度でわれわれを迎えながら、内心では軽視しているのですから。おたがいに意気投合できる星というのは、なかなかないものですね」

そのとき、レーダー室から報告があった。

「前方に惑星が見えます」

「どんな星だ」

「住民がいそうな条件を、そなえているようです」

「よし、注意して着陸に移れ。気持ちのいい住民だといいが」

近づくにつれ、美しい町があるのを認めることができた。そのそばの草原に、宇宙船はゆっくりと降りたった。

なかからあたりを観察していると、大ぜいの住民たちが、驚いたようなようすで、町からあらわれてきた。地球の人間と同じような住民たちだった。彼らの表情は驚きから警戒に移り、つぎに好奇心にみちたものに変った。そして、こちらに近づいてくるにつれ、それはさらに、歓迎を示すものに変ってきた。

表情ばかりでなく、事実そうらしかった。宇宙船内には、相手の感情の変化を探知する装置がそなえてあった。未知の星の住民たちと、言葉による意志の疎通《そつう》ができるようになるまでは、この装置だけがたよりだった。いままでにも大いに役立ってきている。その針の先は驚き、警戒、好奇心と動き、歓迎のところで止まったままになった。たいていの場合は敵意か軽視のところで止まり、こんなことはめったにない。

「珍しいことだ、こんなに素直な歓迎にあうとは」

「なぜなのでしょう」

「わからん。住民たちの育ちがいいのかもしれない。外へ出ても、大丈夫だろう」

理由はどうあろうとも、装置の針が示す通り、歓迎されていることはたしかだった。隊員たちはそれでも、一応の武装をととのえ船外へ出た。しかし、その必要もなさそうに思えた。住民たちは武器らしい物を、刃物のような物さえも持っていなかった。

住民たちは手まねで、隊員たちを町のなかに案内した。建物は色とりどりのガラスで作られ、見たこともない種類の宝石がちりばめられ、虹《にじ》のように美しかった。

その歓迎もまた、虹に包まれてでもいるかのように、好意にあふれていた。隊員たちはおたがいに喜びあった。

「いい星だな。美しい町、心のこもったもてなし、すばらしい料理。こんな気持ちのいい住民は、はじめてだ。これからは地球と足りないものを補いあい、友好的な交際をつづけるようにしよう」

「それにしても、早く言葉をおぼえ、お礼を言いたい」

しかし、やがて住民たちの言葉もわかりかけ、少しずつ会話がかわせるようになってきた。

「ありがとう」

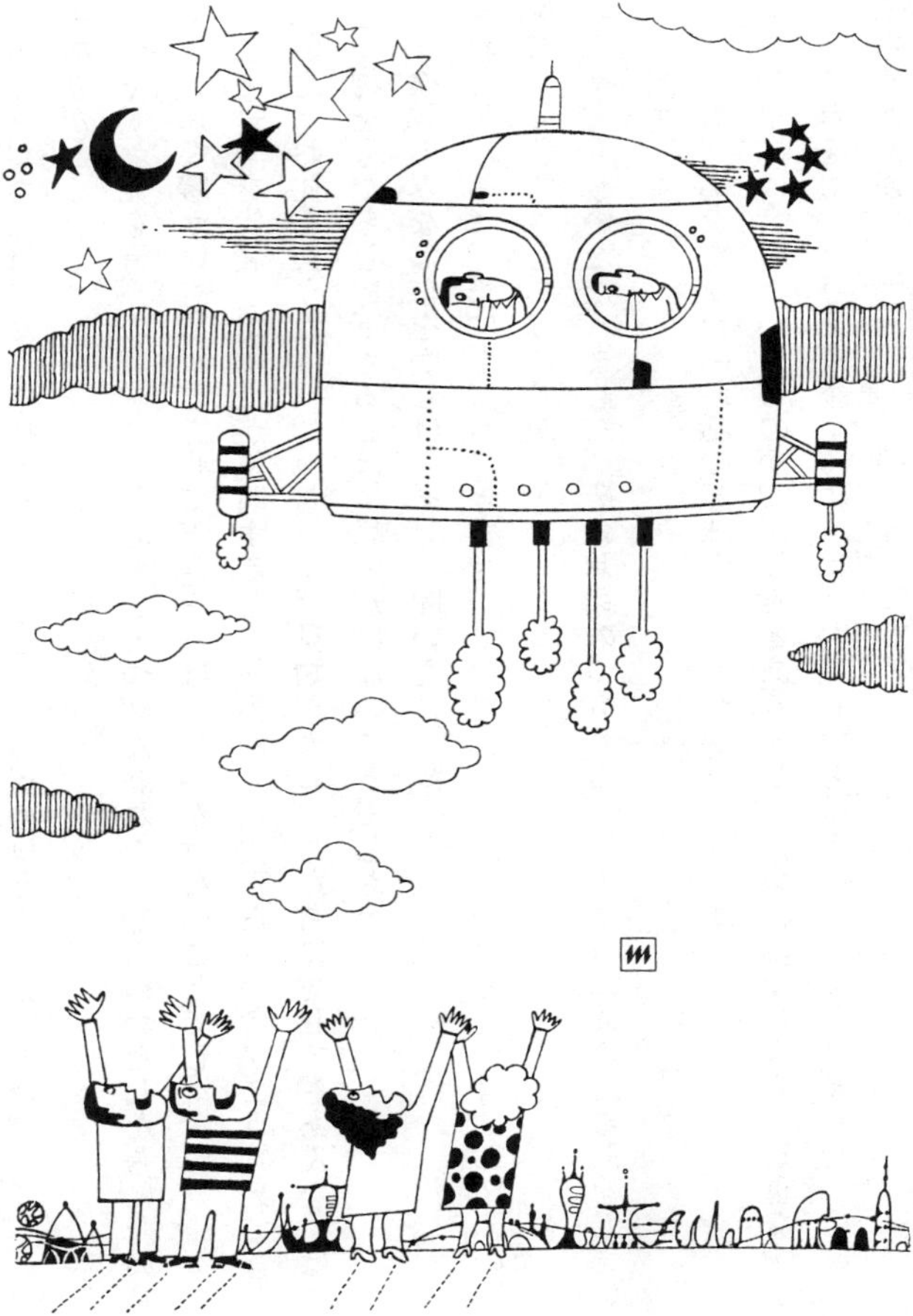

と、隊員たちはまっさきに言った。すると、住民のほうも答えてきた。

「ありがとう」

「いや、お礼を言うのは、こっちです。とつぜん訪れた見知らぬわたしたちにたいして、こんな暖かいもてなしをして下さるとは。思いがけないことでした」

と、一同を代表して隊長が説明すると、住民たちの代表らしい者がこう答えてきた。

「いえ、お礼を言うのは、こっちです。見知らぬわたしたちに対して、あんなすばらしい物をもたらして下さるとは。思いがけないことでした」

探検隊のみなは首をかしげ、そして聞いた。

「わたしたちは、なにも持ってきませんでしたよ。こんど訪れる時には、お望みの物を持ってきてさしあげますが」

「いや、もういただきました。そのお礼のつもりで、このようにおもてなしをしているのです」

「どうも、あなたがたのお話の意味が、よくわかりませんが」

「この星には金属というものが、ほとんどありません。金属はなによりも貴重な物質で、それをもっと与えて下さるように、わたしたちは天に祈っておりました。そこへ、あなたがたが……」

隊員たちは顔をみあわせ、あわてて町からかけだした。しかしその時は、なにもかも手おくれとなっていた。二千光年の距離を越えてきた銀色の大きな宇宙船は、すでにかげも形もなくなっていた。

程度の問題

任務の重大さを感じながら、エヌ氏はある国の首都に到着した。スパイとしてだ。子供のころからあこがれていたこの職業に、やっとつくことができたのだ。そして、これが初仕事。

決意は炎のごとく燃え、勇気はからだにみちあふれ、緊張した神経はぴりぴりしている。しかし、彼は肩をいからせ、武者ぶるいしながら乗り込んだのではない。そんな態度をとったら、すぐに怪しまれてしまう。

地味な服装と、ひかえ目な動作。なるべく平凡な外見を、よそおわねばならぬ。表むきは、古代美術研究家ということになっている。他人には温和な印象を与える肩書のはずだ。

その国についたエヌ氏は、家具つきアパートの一室をかり、そこに落ち着くことにした。だが、部屋にはいったからといって、安心はできない。どこかに、盗聴マイクがしかけてあるかもしれない。また、超小型テレビカメラの監視装置が、かくされてないとも限らない。

エヌ氏は部屋のなかを、徹底的に調べはじめた。テーブルやベッドや椅子《いす》などの脚をとりはずし、ラジオを分解し、電話機の裏をあけ、花びんの花を抜いてなかをあらためた。

さらに、通風装置や洗面所の設備をこわし、ジュウタンをめくり、クッションや枕《まくら》のなかを調べ、鏡のむこう側からのぞかれていないかたしかめ、くまなく検査した。しかし、まだ完全とはいえない。壁や天井や床をこつこつとたたいて反響に耳を傾け、なにか装置が埋めこまれていないかと、しらみつぶしにさぐっていった。

そのうち、ドアにノックの音がし、来客のけはい。エヌ氏は身がまえて言った。

「どなたですか」

「このアパートの管理人です」

中年の婦人の声で、聞きおぼえはある。

「どんなご用でしょう」

「壁や床をたたかれてうるさいと、ほかの部屋の人から文句が出ました。いったい、なにをなさっているのです。あけて下さい。管理人として、なかをたしかめ、みなさんに説明する責任がありますから」

入室を断わると、かえって怪しまれ、さわぎが大きくなるばかりだろう。やむをえず、エヌ氏はかぎをはずした。管理人の女は室内を見て、目を丸くした。あばれん坊の子供だって、こんな無茶なちらかし方はしない。

「なんです、これは。泥棒にでもはいられたのですか」

「いえ、その……」

エヌ氏は説明に困って、どぎまぎした。

「冗談半分でしたら、許せません。二度とこんなことをなさったら、出ていってもらいます。こわした品は、あなたの負担で、もと通りにしてもらいますよ」

さんざん油をしぼられてしまった。

つぎの日の夕方、エヌ氏は公園へ散歩に出かけた。あたりのようすを、よく知っておかなければならない。

その時、ボールがころがってきた。むこうで、少年が「とってよ」と声をあげている。

エヌ氏は手をのばしかけたが、一瞬、身をひるがえして、そばのベンチのかげに伏せた。爆弾かもしれないではないか。おれはスパイなんだ。消そうとしている相手は、どこにいるかわからぬ。そして、どんな方法でむかってくるか、予想もつかないのだ。

おそらく、さりげない形で油断をついてくるにちがいない。

しかし、爆発はしなかった。ボールを追ってきた少年は、ふしぎそうな表情でエヌ氏を眺めた。大の男がボールをこわがったのだから。

公園を出たエヌ氏は、レストランで夕食をとった。だが、料理を口にしかけて、ちょっと考えた。ここのボーイが、敵側のスパイかもしれないではないか。そういえば、態度に変な点がないとはいえない。

犬を連れた貴婦人が店にはいってきた。エヌ氏は肉を少し切って、犬にやった。犬は喜んで食べ無事だったが、婦人はその失礼をとがめた。

「なにをなさるんです」

「あまり、かわいい犬ですので」

「ほめていただくのはけっこうですけど、勝手に食べ物をやられては迷惑ですわ」

エヌ氏はすっかり恐縮した。彼は食堂を出て注意ぶかく歩き、あるバーにはいった。酒を飲んでいると、となりの男が話しかけてきた。

「お仕事はなんですか」

「古代美術の研究ですよ……」

エヌ氏は表むきの職業を答えながら、タバコを口にした。相手はライターをつけ、さし出した。そのとたん、エヌ氏はライターをたたき落した。毒ガスが出てくるかもしれないではないか。

「なんです失礼な」

怒るのは、当り前だ。あわや乱闘がはじまりそうになった。

しかし、ちょうどその時、若い女がバーにはいってきた。彼女はエヌ氏と同じ組織に属するスパイ、すなわち同僚。ここで待ちあわせることに、なっていたのだ。彼女があやまってくれたおかげで、さわぎはそれ以上ひろがらず、なんとかおさまった。

エヌ氏は彼女と夜の道を歩きながら、仕事の打ち合わせをし、彼女のアパートまで送っていった。彼女はすすめた。

「ちょっとはいって、紅茶でもお飲みにならない」

「ありがとう」

彼女は紅茶を入れてくれた。エヌ氏は考えた。彼女はたしかに同僚だ。しかし、敵に買収された二重スパイでないと、断言できるだろうか。警戒するに越したことはない。スパイは、非情な職業なのだ。

そこで、すきをみて紅茶のカップをすりかえた。飲むとすぐに眠くなってきた。朝になって起きると、彼女が言った。

「どうして、あたしの紅茶を飲んじゃったの。あたし不眠症なので、寝る前に紅茶に薬を入れて飲むことにしてるのよ。おかげで……」

やがてエヌ氏は、上司から帰国を命じられた。アパートの管理人の女は、変な古美術研究家だと言いふらすし、公園の少年たちはボールをぶつけて面白がる。レストランやバーでは敬遠される。部屋を訪れたセールスマンを、敵のスパイと勘ちがいしてなぐったこともばれた。これでは、目立ってしようがないのだ。

帰国したエヌ氏は、今後ずっと事務的な仕事だけをやらされることになった。

エヌ氏の後任のスパイとしては、のんきな性格の男が選ばれた。しかし、その男は大きな盗聴機がしかけられているのに気がつかず、すぐ身分がばれた。そして、見知らぬ人からもらったお菓子をいい気になって食べ、たちまち毒殺されてしまった。

愛用の時計

K氏は週末の旅行に出かけるため、用意をととのえていた。服のポケットのなかでは、ラジオが天気予報を告げていた。

〈あすは、よいお天気でしょう……〉

楽しげに口笛を吹きながら、K氏はハンケチを出し、腕時計を軽くぬぐった。これは彼のいつもの癖だった。

癖とはいうものの、頭をかくとか耳をつまむとかいう、意味もない動作とはちがっていた。彼はその時計を大切にしていたのだ。大げさな形容をすれば、愛していたともいえる。

K氏がこれを買ってから、五年ほどになる。デパートの時計売場のそばを通ったとき、ガラスのケースのなかに並べられた、たくさんの時計の一つがキラリと光った。ちょうど、女の子にウインクされたような気がした。また、

「あたしを買ってくれない……」

と、やさしく、ささやきかけられたようにも思えた。古代の異国の金貨が、文字盤になっている。たまたま、入社してはじめてのボーナスをもらった日だった。

「よし。買うことにしよう」

彼は思わずこうつぶやいた。それ以来、時計はずっと、K氏とともにいる。

K氏は、からだの一部ででもあるかのように扱った。彼はまだ若く、自分では定期的な健康診断などを受ける気にはならなかったが、時計のほうは定期的に検査に出した。別なのを使うその数日は、彼にとって、たまらなくさびしい日だった。

しかし、そのため、狂ったりすることはまったくなかった。進みすぎもせず、おくれもせず、正確な時刻を、忠実に知らせつづけてきたのだ。

その時、ラジオが時報の音をたてた。K氏は首をかしげた。

「おかしいぞ。時報が狂うとは」

彼にとって、時計のほうを疑うのは、考えられないことだった。だが、ダイヤルをまわし、ほかの局を調べ、時報が正しいのを知って、あわてた。

もはや、切符を買っておいたバスの、発車時刻にまにあわなくなっている。彼は時計に文句を言った。

「おい。なんということをしてくれたのだ。これだけ大切に扱ってやっているのに」

しかし、どうしようもなかった。K氏は旅行を中止し、散歩にでかけた。そして、ついでに時計店に立ち寄った。

「変なんだ。おくれはじめた。せっかくの週末が、ふいになってしまった」

「しかし、このあいだ検査をしたばかりですが……」

と、時計店の主人は受けとり、機械をのぞきこんでいたが、ふしぎそうな声で答えた。

「変ですね。どこにも故障なんかないようです」

「そんなはずはない」

そのとき、ポケットに入れっぱなしになっていたラジオが、ニュースをしゃべった。

〈観光シーズンです。S山へ行くバスが……〉

それを聞きながら、K氏は主張した。

「おかげで、このバスに乗りそこなったのだ。たしかに、この時計はどうかしている」

しかし、ニュースはそのさきをこう告げていた。

〈……事故のため、谷へ転落して……〉

特許の品

野原のまんなかに、奇妙な物体が発見された。長さ二メートル。外側の丈夫な、金属製の円筒状のものだ。こんなところへ、わざわざ捨てる人があるとは思えない。空から落下したのではないかと想像された。

しかし、外側に書かれてある記号のようなものは、だれにも読むことができなかった。こんな文字を使っている国は、どこにもないのだ。したがって、地球外からきたものかもしれないと考えられた。その物体は注意して研究所に運ばれ、決死的な覚悟の学者たちが、調べにかかった。なにがなかから出現するかわからず、また大爆発をしないとも限らないのだ。

苦心していじっているうちに、一端が開いた。なかには、なにかがはいっている。引っぱり出してみると、一枚の紙だった。もちろん、地球上の紙とは組成がちがっていたが、白く薄いものだ。図面といった感じで、たくさんの書き込みもある。のぞきこみながら、ひとりが言う。

「見たところ、設計図のたぐいらしい」

「そのようだな。しかし、どこの星の、なんの設計図だろう」

だれにもわからなかった。他星のなにかの設計図が、そう簡単にわかるはずがない。

一方、物体のほうの調査もなされた。推進や誘導の装置のついていない点から、地球めがけて送られてきたものでなく、なにかのかげんで流れついたのだろうと推定された。

不明のままというのも気になる。そこで、設計図に従って製作してみることにした。問題解明への、ひとつの手がかりだ。簡単には進行しなかったが、作っていくうちに、文字の意味するものがしだいにわかってきた。おぼろげながら文字がわかると、図面への理解も深まる。かくて、少しずつはかどっていった。どうやら、一種の電気製品のようだ。

説明文によると、快楽装置のようなものらしい。やがて、試作品が完成した。しかし、さすがにすぐ使ってみる勇気はない。他星では快楽でも、地球人には苦痛かもしれない。動物実験を重ねたあげく、決死的な人物が志願した。使用法に従ってやってみる。

「おい、気分はどうだ」

とまわりで聞くと、その長椅子《ながいす》状の装置の上に横たわった当人は答えた。

「なんともいえない、いい気分です。いままでに、味わったことがありません。電流が手から首へ、首から足へとさまざまに流れ、微妙にしびれるのです。美女と抱きあいながらいい音楽を聞き、酒に酔ってうまい物を食べている。それを何倍かにしたようなもの、といった感じです」

「生命に別状はないようだな」

「あ、スイッチを切らないで下さい。もっとやらせて下さい」

「そうはいかないよ」

くわしい診察がなされたが、悪影響は発見されなかった。麻薬類とちがって、有害な副作用もないのだ。何人もが試みたが、みな、たとえようもない快楽に喜んだ。

「なるほど、こういうものだったのか。悪くない、新娯楽用品だな」

「で、これからどうする」

「大量生産して、販売したらどうだろう。みなも喜ぶし、利益もあがる」

だれも、異議がないようだった。それどころか、効果が報道されると、使わせろという声が大きく、応じないわけにいかない勢いだ。

しかし、その時に報告があった。図面の文章をくまなく解読したら、最後のほうに、特許権所有の文字があったという。

「となると、勝手に作るわけにもいかないわけか」

「しかし、どこの星の発明品とも、わからんのだ。地球で独自に開発したことにすればいいさ。だいたい、特許で独占など不当だ」

適当にやることに、みなの意見が一致した。だが、デザインや配線を少し変え、いいわけのたつようていさいをつくろった。

装置の生産台数は増加した。好評であり、売れ行きもいい。特許権を無視しているのは気になるが、といって、定価を倍にし、特許料を積み立てておく気にもならない。安く作れるおかげで普及し、普及するから安く作れるのだ。パテントなど、なんだ。

しばらくの年月のたったある日、地球を訪れた一台の宇宙船があった。なかから出てきた他星人は、まわりに集った人びとに言った。

「わたしはゲレ星の者です」

「よくいらっしゃいました。地球はあなたを、心から歓迎いたします」

「やってきたのは、ほかでもありません。わたしたちの輸送用ロケットがこわれ、ある図面が紛失しました。もしかしたら、こちらに流れついたのではないかと、さがしてるのです」

地球側は顔をみあわせた。とうとうやってきた。どう説明したものだろう。最初のころならまだしも、全地球にこう普及してしまった今では、ごまかしようがない。あくまでしらん顔をすべきだとの説と、あやまるほうがいいとの二つの説が出た。ゲレ星人の友好的そうな点から、なんとか話し合いで解決したほうがよさそうに思えた。

損な役割を押しつけられたひとりが、代表として交渉に当った。

「じつは、この地球に流れつきました。好奇心にかられて作ってみましたが、すばらしい装置ですね」

「そうでしたか。しかし、作ったのなら、文字が解読できたはず。あの図面には特許権所有と書いてあったはずです。それを無視なさったとは困ります」

地球側は頭をさげた。文句をつけて、巨額な使用料を取り立てるつもりなのだろうか。そうなったら、勝手にしろといなおるまでのことだ。おそるおそる言う。

「無視したとなると、どうなさるおつもりですか」

「いったい、どう使っているのです……」

ゲレ星人は質問した。そして、地球での普及ぶりを知ってから言った。

「……そんな使い方でしたら、使用料はいりません。けっこうです」

「ありがたいことです。しかし、それはまた、なぜなのです」

ふしぎがる地球人への答えはこうだった。

「あれは、ほかの星に送って、文明の進歩をストップさせる装置です。味をしめたら二度と離したがらず、熱中のあげく、ほかのことを考えなくなるからです。いくつかのうるさい星に使い、文明を衰退させて、おとなしくさせました。そのような目的のために、ゲレ星が開発した、じつに効果のある装置です。そんなふうに使用されたとなると、これは特許使用料をいただかなくてはならないのですが……」

おみやげ

フロル星人たちの乗った一台の宇宙船は、星々の旅をつづける途中、ちょっと地球へも立ち寄った。しかし、人類と会うことはできなかった。なぜなら、人類が出現するよりずっと昔のことだったのだ。

フロル星人たちは宇宙船を着陸させ、ひと通りの調査をしてから、こんな意味のことを話しあった。

「どうやら、わたしたちのやってくるのが、早すぎたようですね。この星には、まだ、文明らしきものはありません。最も知能のある生物といったら、サルぐらいなものです。もっと進化したものがあらわれるには、しばらく年月がかかります」

「そうか。それは残念だな。文明をもたらそうと思って立ち寄ったのに。しかし、このまま引きあげるのも心残りだ」

「どうしましょうか」

「おみやげを残して帰るとしよう」

フロル星人たちは、その作業にとりかかった。金属製の大きなタマゴ型の容器を作り、そのなかにいろいろのものを入れたのだ。

簡単に宇宙を飛びまわれるロケットの設計図。あらゆる病気をなおし、若がえることのできる薬の作り方。みなが平和に暮すには、どうしたらいいかを書いた本。さらに、文字が通じないといけないので、絵入りの辞書をも加えた。

「作業は終りました。将来、住民たちがこれを発見したら、どんなに喜ぶことでしょう」

「ああ、もちろんだとも」

「しかし、早くあけすぎて、価値のある物とも知らずに捨ててしまうことはないでしょうか」

「これは丈夫な金属でできている。これをあけられるぐらいに文明が進んでいれば、書いてあることを理解できるはずだ」

「そうですね。ところで、これをどこに残しましょう」

「海岸ちかくでは、津波にさらわれて海の底に沈んでしまう。山の上では、噴火したりするといけない。それらの心配のない、なるべく乾燥した場所がいいだろう」

フロル星人たちは、海からも山からもはなれた砂漠のひろがっている地方を選び、そこに置いて飛びたっていった。

砂の上に残された大きな銀色のタマゴは、昼間は太陽を反射して強く光り、夜には月や星の光を受けて静かに輝いていた。あけられる時を待ちながら。

長い長い年月がたっていった。地球の動物たちも少しずつ進化し、サルのなかまのなかから道具や火を使う種族、つまり人類があらわれてきた。

なかにはこれを見つけた者があったかもしれない。だが、気味わるがって近よろうとはしなかったろうし、近づいたところで、正体を知ることはできなかったにちがいない。

銀色のタマゴはずっと待ちつづけていた。砂漠地方なので、めったに雨は降らなかった。もっとも、雨でぬれてもさびることのない金属でできていた。

時どき強い風が吹いた。風は砂を飛ばし、タマゴを埋めたりもした。しかし、埋めっぱなしでもなかった。べつな風によって、地上にあらわれることもある。これが何度となく、くりかえされていたのだった。

また、長い長い年月が過ぎていった。人間たちはしだいに数がふえ、道具や品物も作り、文明も高くなってきた。

そして、ついに金属製のタマゴの割れる日が来た。しかし、砂のなかから発見され、喜びの声とともに開かれたのではなかった。下にそんなものが埋まっているとは少しも気づかず、その砂漠で原爆実験がおこなわれたのだ。

その爆発はすごかった。容器のそとがわの金属ばかりでなく、なかにつめてあったものまで、すべてをこなごなにし、あとかたもなく焼きつくしてしまったのだ。

欲望の城

通勤のバスのなかに、なぜか私の注意をひく一人の男があった。いっしょになるのは時どきで、とくに変った外見でもない。だが、ほかの乗客とくらべると、どことなくちがっていた。それで、ある朝、となりあわせにすわったのを機会に、こう話しかけてみた。

「よく、ごいっしょになりますね」

「ええ」

と彼はあいそよく答えてくれた。

「おつとめですか」

「小さな会社につとめています。昼間は仕事のことで、多くの人と言い争いをしなければならず、家に帰れば家族が多く、そのうえ給料が安くて、つまらない毎日ですよ」

その声は言葉とは反対に、なぜか明るかった。

「でも、いつも楽しそうなお顔ではありませんか。立ち入ったことをお聞きするようですが、なにか解決法をお持ちなのですか」

「夢を持っているせいかもしれません」

「けっこうですね。わたしなどは、とうの昔になくしてしまいましたよ」

私がうなずくと、彼は首をふった。

「その夢のことではありません。わたしの言ってるのは、本当の夢のことなのです」

「と、おっしゃると」

「しばらく前から、毎晩おなじ夢を見るようになったのです。手ごろな大きさの部屋のなかに、わたしだけがいる夢です。そととは完全にさえぎられ、だれもはいってはこられない部屋です。心の休まる気分です」

「珍しいことですね。しかし、さわがしい世の中から独立した、自分ひとりの城を持ちたいことは、だれでも同じでしょう。その象徴と考えれば、ありうる話かもしれませんね」

「ええ。わたしもずっと、そんな部屋を欲しいと思っていました」

「夢のなかで、その願いが、みたされているわけですね」

「そのうち、家具もそろいました。飾り窓のなかにあり、買いたいと思っても買えな

かった、すばらしい机と、やわらかい椅子《いす》がです。こうして、いまではシャンデリヤをはじめ、いろいろな電気器具、たくさんの流行の服、それを入れる洋服ダンス、本の並んだ棚などがそろっています。できるものなら、お見せしたいほどですよ」

「そうでしたか」

私は事情を知って、少しうらやましくなった。それからは顔をあわせるたびに、彼はとくいげに話しかけてきた。

「例の夢の部屋に、いい彫刻を置きましたよ。きのうの夜は、このごろ宣伝のさかんな、室内用の運動具が加わりました。こうなったら、なんでも来いです。もっとも、家具を並べ変えるのに、ちょっと苦労しますがね」

彼が欲しいと感じた品物は、夜になると夢のなかに、すべて現れてくるらしい。あれを買え、これを買えという、激しい宣伝攻勢に順応するために発生した、現代病の一種なのだろうか。もっとも、それによって欲望がみたされ、精神の平静が保たれるのなら、病気と呼んではおかしいようにも思えた。

しかし、またしばらくして会った時の彼は、なぜかぼんやりした表情をしていた。

「どうしました。元気がありませんね」

「欲しがるまいと思うのですが、そうもできません。それに、どうしても部屋のドアがあかなくて困っています。窓もですよ」

と、あまり要領をえない返事だった。

その数日後、こんどは帰りの最終バスで、さらにやつれた顔の彼といっしょになった。

「きょうはまた、おそいのですね」

「ええ、眠るのがこわいのです。このところ、ほとんど眠っていません」

彼はなんとか目をあけていようと、努力しているようすだった。だが、やがてバスの揺れが、彼を眠りにさそいこんでしまった。そのとたん、私は大きな悲鳴を聞いた。ちょうど、逃げ場のない場所で、なにかに押しつぶされているような、おそろしい声の……。

盗んだ書類

静かな夜ふけ。エフ博士の研究所のそばに、ひとりの男がひそんでいた。その男は泥棒だった。

エフ博士はこれまでに、すばらしい薬をつぎつぎと発明してきた。まもなく、また新しい薬を完成するらしいとのうわさだった。男はその秘密を早いところ盗み出し、よそに売りとばそうという計画をたてたのだ。

男は窓から、そっとのぞきこんだ。なかではエフ博士がひとり、むちゅうになって薬をまぜあわせている。熱中しすぎて、のぞかれていることに気がつかない。

やがて、少量の薬ができあがった。みどり色をした液体だった。博士はそれを飲み、大きくうなずいた。

「うむ、味は悪くない。においもこれでいいだろう……」

そして、のびをしながらつぶやいた。

「やれやれ、やっとできた。いままでにわたしは、いろいろな薬を作った。しかし、この薬にまさる薬はあるまい。世界的な大発明だ。さて、忘れないうちに、製造法を書きとめておくとしよう」

博士は紙に書き、それを部屋のすみの金庫のなかに、大事そうにしまいこんだ。それから、自分の家へと帰っていった。

待ちかまえていた男は、仕事にとりかかった。注意して窓をこじあけ、なかにしのびこむ。さっき博士がやった通りに金庫のダイヤルの番号を合わせると、簡単にあけることができた。男は書類をポケットに入れ、うれしそうな足どりで逃げ出した。

「しめしめ、これでひともうけできるぞ。博士が飲んだところをみると、人体に害のないことはたしかだ。それに、すごい薬とか言っていた。だが、どんなききめがあるのだろうか……」

その点が、なぞだった。飲んだあと博士がどうなったのか、調べるひまはなかった。電話をかけて聞くわけにもいかない。しかし、エフ博士の発明だから、いままでの例からみて、役に立つ薬であることはあきらかだ。

かくれ家に引きあげた男は、紙に書いてある製法に従って、薬を作ってみることにした。どんな作用があるのか知っていないと、ひとに売りつける時に困るのだ。

原料を集め、フラスコやビーカーも買いととのえた。そして、何日かかかって、問題の薬ができあがった。スズランのような、いいにおいがする。

男はそれを自分で飲んでみた。すがすがしい味がした。男は椅子に腰をかけ、ききめがあらわれるのを待った。

そのうち、男は立ちあがり、そとへ出た。急ぎ足で歩きつづけ、ついたところはエフ博士の研究所だった。

「先生。申しわけないことをしました。このあいだ、ここの金庫から書類を盗んでいったのは、わたしです。わたしをつかまえ、警察へつき出して下さい」

と男は言った。それを迎えた博士は念を押した。

「本当にあなたなのですか」

「そうです。書いてある通りにやって薬を作り、それを飲んでみました。そうすると、自分のしたことが悪かったのに気づき、ここへやってきたのです。お許し下さい。盗んだ書類はおかえしします」

男は涙を流してあやまった。だが、エフ博士は怒ろうともせず、にっこり笑いながら言った。

「それはそれは。やはり、わたしの発明はききめがあった。この薬は、良心をめざめさせる作用を持ったものです。ところが、作ってはみたものの、あとで困ったことに気がついた。実験のために、進んで飲んでみようという悪人がいないのです。しかし、あなたのおかげで、作用のたしかさが証明できたというわけです。どうも、ごくろうさまでした」

よごれている本

ちょうど、天井と床のまんなかぐらいの高さ。そこに、眼《め》がひとつ浮かびでてきた。それは空中をただようように、ゆっくりと揺れつづけながら、丸くなったり、細長くなったりしていた。妙になれなれしく、また意味ありげな色をたたえていて、ウインクをしているようにも思えた。

エヌ氏はそれを見つめ、またたきをくりかえしていたが、

「や。すると、この本は本物だったのだな」

とつぶやき、手にした本をあらためて見なおした。その本はあまり厚くない、古びた大判の本だった。彼がこの本を買ったのは、二日ほど前の夕方、ある古本屋からであった。

「なにか変った本はないかね」

と聞いたエヌ氏に、店の主人は一冊の横文字の本を取り出してきて、こう言ったのだ。

「どうでしょう、こんな本は。もちろんわたしには読めませんが、どうも珍しいもののような気がしてなりません」

たしかにその本は、どことなく異様なものを発散していた。エヌ氏がそれをのぞきこんでみると、その言葉は彼の専門であるラテン語だった。

「なになに。うむ、これは魔法の本のようだ。とすると、ばかばかしい内容だろう」

エヌ氏の言ったことに対して、主人は不満そうなようすだった。

「はあ、魔法の本は、ばかげていますか」

「そうとも。ところで、どこで仕入れたのだ」

「じつを言いますと、しばらく前に古道具屋が置いていったものです。払い下げてもらったなかに、これがまざっていたそうです。目方で処分するより、いくらか高ければいい、というので、わたしもなんの本かわかりませんが、安く買いとったというわけです。しかし、魔法の本となると、もうけものではありませんか」

「そこだよ、おかしいところは」

「どこでしょうか」

「第一に、魔法などというものが、あるかどうか疑わしい。第二に、もしあるとすれば、だれかに払い下げるはずがない。いずれにしろ、いいかげんなものにきまっている」

「はあ、そう言われれば、そういうことになりますな」

いささかがっかりした主人に、エヌ氏は言った。

「しかし、いいかげんとわかっていても、わたしには少し興味がある。買うことにしよう」

かくしてエヌ氏は、その本を安く手に入れた。だが、その時はエヌ氏も、本物とは思っていなかった。だから、一人ぐらしのアパートの部屋に帰ってからも、その晩は机の上にほうり出しておいたのだった。

二日ばかりたって、エヌ氏はなにげなくその本を開いてみた。そして、あることに気がついた。本が多くの人の手をへてきたように、よごれているのにもかかわらず、ページが破れているなど、いたんだ部分がないのだ。

彼は興味を抱き、ページのはじをつまんで引っぱってみた。だが、破れはしなかった。そこで、力をさらに加えてみた。やはり破れはしなかった。

いったい、なんでできているのだろう。光にすかしてみたり、指先でこすってみたりしたが、その紙質はわからなかった。彼は注意しながら、ライターの炎を近づけてみた。しかし、いっこうに燃えあがりもしなかった。

「なるほど。ふしぎなことだ。もしかすると、あるいは……」

エヌ氏は椅子にすわりなおし、その本のはじめのほうを読み、ためしにその本の示す通りにやってみた。太目の麻糸を結んで床のうえに輪をつくり、はじめの文句を唱えてみた。

すると、それに応じるかのように、眼がひとつ、空中に浮かびでたのだ。

「や。すると、この本は本物だったのだな。面白いことになってきたぞ」

エヌ氏でなくとも、魔法以外の現象とは思わないだろうし、また、エヌ氏でなくとも、ここでやめてしまう気にはなれない。彼は先をつづけようとした。だが、これ以上つづけるには、いろいろと必要なものがあった。エヌ氏は外出し、それを集めてもどってきた。

赤いバラの花粉。黒いアゲハチョウの羽の粉。紫水晶ひとかけら。白ネズミの尾を干したもの。そのほか本の指示するものを集めて、それらをこまかく砕き、まぜあわせ、麻糸の輪のなかにまきちらしてみた。

粉が床に散り落ちるにつれ、雲が晴れてなかから山があらわれてくるような感じで、そこになにものかの姿が、形をととのえながらできあがっていった。眼が二つになり、そのまわりに顔が、さらに首、胴、手足とそろっていった。

エヌ氏は見あげ、見おろした。それは人の姿に似ていたが、どことなく印象がちがっていた。皮膚の色が紫がかっているほかに、なにもかもとがっているのだ。目じりはとがってつりあがり気味で、耳もとがって大きく、耳のうえにも、頭からとがったものがでていた。角《つの》なのであろうか。そのほか、鼻の先も、ひじも、指も指先の爪も、鋭くさけた口のなかにある銀色の歯も、うしろにでているしっぽのさきも、すべての部分がとがっていた。

「なるほど。これが悪魔というものにちがいない」

エヌ氏は以前に見たことのある絵を思い出し、うなずいた。輪のなかの相手もうなずきながら、笑った。それは笑いなのであろう、人なつっこいような、奇妙な表情と動作だった。

エヌ氏は、ラテン語でゆっくりと話しかけてみた。

「おまえはこんな所に出てきて、なにをするつもりなのだ」

「わたしのあらわれたわけはですね……」

あとはよくわからなかった。むずかしい言葉が使われたからでなく、声が細くなって、聞きとりにくくなったのだ。

「なんだと」

エヌ氏は聞きかえしてみたが、かんじんな部分にくると、どうも声が小さくなる。エヌ氏は思わず耳を相手に近づけた。それにつれ、耳ばかりでなく、足のほうも輪のなかにふみ込んでいた。

「……魔王のための犠牲を集めてまわっているのです」

こう聞きとれた時には、すべてが手おくれとなっていた。とがった指先の、とがった爪がエヌ氏のからだに食いこみ、はなさなかったのだ。

「はなせ。痛い」

「だめですよ。せっかく、つかまえたのですからね」

いかにもがいても、だめだった。やがてエヌ氏も、悪魔のほうも、その姿はしだいに薄くなり、ついには消えうせた。


何日かすぎ、部屋代を集めにきたアパートの管理人は、首をかしげながらつぶやいた。

「越してしまったのだろうか。このところ姿を見かけないが。引っ越すのなら、そう断わってくれればいいのに」

そして、部屋を掃除し、品物を片づけ、べつな人に貸した。エヌ氏の荷物はしばらく管理人があずかっていたが、いつまで待っても取りにこないので、とどこおっていた部屋代の足しにすべく、古道具屋の手に渡された。あの本とともに……。

白い記憶

　ある夏の日の午後。街なかにあるQ博士の病院に、二人の急患が運びこまれてきた。つきそってきた警官を見て、博士は声をかけた。

「日射病でしょう。夏になると、どうしても多くなりますからな。それとも、食中毒ですか」

「いや、そんなことではありません。衝突したのです」

「すると、交通事故ですな。では、さっそく消毒の用意を……」

　と、看護婦に命じかける博士を、警官がさえぎった。

「いや、交通事故ではありません。けがをしてはいないのです」

「いったい、どうしたのです。事故でない衝突というのは」

「この近くのビルの曲り角で、この二人がぶつかったのです。二人とも急ぎ足だったらしく、勢いよく頭をぶっつけ合い、気を失ってしまいました。けがは頭のコブぐらいですから、意識をとりもどせば、そう心配するほどのことではないでしょう。手当てをお願いいたします」

「なるほど、そうでしたか。いいですとも。患者を治療するのが、医師であるわたしのつとめです」

警官は敬礼をして引きあげ、その二人の患者が治療室に運ばれ、横たえられた。一人は男、一人は女で、いずれも二十七、八歳ぐらいに見えた。

Q博士が看護婦たちに手伝わせ、手当てを加えると、やがて、男のほうが目を開いた。そして、驚いたような声をあげた。

「や。これはどうしたんです。ぼくはなんで、こんな所にいるんですか」

「やっと気がつきましたね。あなたはビルの角で、勢いよくひとにぶつかり、しばらく気を失っていたのです。たいしたことはありませんから、少し静かに休んでいれば大丈夫です」

Q博士の説明で、青年は安心したものの、気がかりそうな口調で聞いた。

「それで、ぶつかった相手はどうなりましたか。けがでもしていたら、あやまらなければなりません」

「その女の人です。けがはしていませんが、あなたと同じに気を失っています。まもなく、意識をとりもどすでしょう」

博士が指さすベッドの上を見て、青年は思わず口笛を吹いた。すばらしく美しい女性が、目を閉じて横たわっているではないか。

「上品で美しい人ですね。どこの人でしょう」

「ハンドバッグには手帳も名刺も入っていないので、まだわかりません。しかし、気がつけば、すぐにわかるでしょう」

「こんな人とぶつかれたのは、幸福です。これをきっかけに、交際してもらえるかもしれませんね」

目を輝かしている青年にむかって、博士は聞いた。

「まあ、彼女の名前より、あなたの住所とお名前を教えて下さい。カルテを作らなければなりませんから」

青年は目をぱちぱちさせ、口ごもった。

「ええと……」

「どうかしましたか」

「それがその、どうしても思い出せないのです。なぜでしょう」

「ははあ、衝突のときのショックで、記憶喪失になったのかもしれません」

青年はポケットをさぐったが、失われた記憶の手がかりになる物はなく、夏のことで上着を着ていず、ネームの調べようもなかった。

そのとき、横になっていた女性が軽いうめき声をもらし、意識をとりもどした。博士が簡単に説明し終るのを待ちかねたように、青年が礼儀ただしく話しかけた。

「ぶつかったのは、ぼくです。どうも申し訳ありませんでした。しかし、おかげで、あなたのような方と知りあいになれ、うれしい気もします。これからも、おつきあいをお願いできませんか」

彼女のほうも、好意にあふれる微笑を浮かべながら、ていねいにあいさつを返した。

「あたしこそ、どうぞよろしく」

「ところで、じつはぼく、記憶を失って自分の名前を忘れているのです。思いだししだい、自己紹介をいたします」

「あたしは……」

彼女は言葉につまり、ひたいをなでながら困った顔になった。彼女もまた、青年と同じように記憶を失っていたのだ。それを知ったQ博士は、注射の用意をさせた。

「お二人とも、注射をいたしましょう。うまくきけば、まもなく記憶がもどります。それまで、お話でもしてお待ち下さい」

注射された二人は椅子《いす》にかけ、青年は彼女に話しかけた。

「あなたは、ほんとうにすばらしい女性です。いっぺんに好きになりました。プロポーズをしたい気持ちですが、あまり突然すぎますね。それは、記憶がもどってからにしましょう。ところで、ぼくのことを、どうお感じですか」

「まじめそうで、感じのいいかたですわ」

「記憶がもどってからも、おたがいに、この気持ちをつづけたいものですね」

「ええ」

二人は親しさを増しながら、楽しげに話しあった。やがて、薬がききはじめたのか、青年はつぶやいた。

「ぼくには、忘れてしまいたい、いやな悩みがあったようです。ショックのため、それが消えてしまったような気がする」

「あたしは、なにかを思いつめていたようですわ。なにか、とても重大なことを」

二人は頭に手を当て、首をかしげながら過去を思い出そうと努力した。

「もう少しなんだがな」

「あたしも、すぐそこまで記憶がもどってきているようなんだけど」

しかし、まもなく、二人はほとんど同時に叫びをあげた。

「あ、思い出した」

そして、おたがいを見つめあったが、すぐに女のほうが大声をあげた。

「あ、あなたという人は……」

驚いたQ博士はそれをなだめ、わけを聞いた。

「どうなさったのです。とつぜん叫び出して」

「先生。まあ、聞いて下さい。この人はあたしの亭主なんですが、浮気《うわき》っぽく、すぐよその女の子を口説くので、困っていました。もう、きょうは許せないと、街に追いかけて出たのでした」

「そうでしたか。偶然に同じ症状を起したのも、夫婦なればこそです。ご主人もこれからは、あまり遊びあるかないように」

博士はおざなりの訓戒をしたが、青年はこう弁解した。

「先生。ぼくたちは、結婚して三年にもなります。こんなうるさい女とでは、いいかげんあきのくるころです。たまには気晴らしでもしないと、たまったものではありませんよ」

「なんですって。そんなことってありますか」

と、彼女はまた叫び声をあげ、博士を押しのけて、青年につかみかかろうとした。彼はあわててドアから飛び出し、病院じゅうを逃げまわった。

「静かにして下さい。ここは病院です」

と、止める博士の声も、二人の耳には入らないようだった。

しかし、やがて、さわぎも静まる時がきた。廊下を勢いよくかけまわっていた二人が、その曲り角でぶつかったのだ。

ふたたび気を失った二人を、腕組みをしたQ博士は眺めながら、口のなかでつぶやいた。

「さて。こんどは治療したほうがいいのか、わけがわからなくなってきたぞ」

冬きたりなば

暗黒と静寂にみちた広大な空間。それを刺しつらぬく針のように、一台の宇宙船が飛びつづけていた。その形のスマートさは急流に住む魚を、跳躍する豹《ひょう》を、鋭い刃物を連想させた。

形の点ではこのように申し分なかったが、色彩となると、どうみてもあまり感心できなかった。なぜなら、その宇宙船には胴体や尾翼を問わず、すきまなく広告が書きこまれてあったのだ。

先端に近いところには、清涼飲料水のびんと商品名が、あざやかな色で描かれてあった。そのとなりには化粧品と、それを持ってほほえんでいる若い女性。尾翼の中央には電機メーカーの大きなマークが、紋章のごとくにしるされてある。そのほか光学関係、衣料品、食料品など……。

部分部分についていえば、どれも悪くはないデザインなのだが、こうぎっしりと集ってては、盛り場の広告塔そっくりだった。発光塗料を使ってあるため、闇《やみ》に浮き出たように輝いているのもあった。また、ネオンサイン式に点滅をくりかえしているのもある。

「どうだ。点滅の装置に異常はないか」

船内で、船長であるエヌ博士が言った。すると、かつては助手であり、いまは操縦士として乗組んでいる男が答えた。

「はい。故障の個所はありません。……しかし、研究中には、夢にも考えませんでしたよ。まわりに、こんな飾りがつくようになろうとは」

「それは仕方ない……」

エヌ博士は苦笑いをした。彼は超高速についての独自な理論を考えつき、それを応用した宇宙船の設計を完成した。だが、その研究のためにすべての財産を使いはたし、建造のための資金がまったく残っていなかった。これほど情ないことはない。

もちろん、設計図を他人に売れば、回収がつくばかりでなく、相当な利益にはなる。しかし、それでは、自分で好きなように乗ることができなくなってしまう。彼はあきらめきれず、また、あきらめようともしなかった。そして、ついに名案を思いついた。エヌ博士は多くの会社を訪れ、こんな文句をのべてまわったのだ。

「いかがでしょう。わたしはすばらしい宇宙船を発明しました。これでしたら、いままでに進出している星々より、はるかに遠くへ発展できます。ついでに、商品の売り込みと、宣伝とをしてきてさしあげましょう。つきましては……。あ、無理にとは申しません。ほかにも、協力を申し出ている会社がありますから」

計画は予想以上に成功し、資金が集った。それは建造でき、宇宙のかなたに飛び立つことができた。そのかわり、外部は広告で埋められ、内部の各室は商品で埋まることになってしまった。乗員としては、助手をひとり連れるだけの余裕しか残らなかった。

「あ、あそこに惑星がみえます。あの赤っぽい太陽のそばです」

助手が興奮した声で報告し、博士は聞きかえした。

「どんな惑星だ」

「望遠鏡で観察したところでは、地球によく似た状態のようです。大気も住民も……」

「住民の文明の程度はどうだ」

「地球よりは、いくらか劣るようです」

「それは、ありがたい。あまり文明が高いと、運んできた商品を笑われ、ここまで来

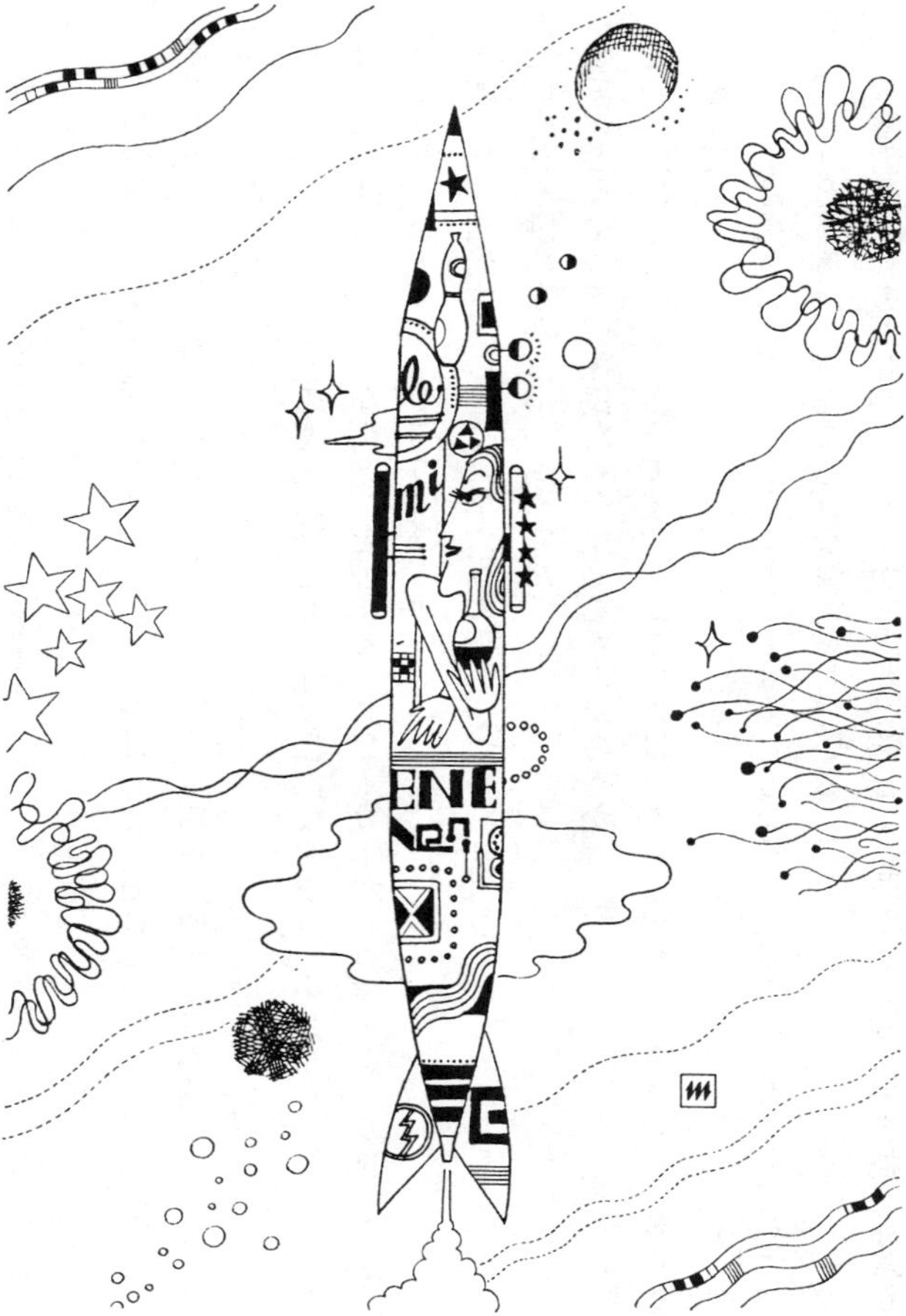
le
mi
ENE

た意味がなくなる。手ごろな星があってよかった。……さあ、機首をそちらにむけろ」

と、命令を下しながら、エヌ博士はボタンを押した。それにつれて、外部の広告は一段と明るさをました。スポンサーたちとの約束は約束。博士は良心的に、それをはたすつもりだった。

やがて、ロケットはその惑星に接近し、徐々に高度をさげ、小さな町のはずれにある野原に着陸した。べつなボタンを押すと、スピーカーからコマーシャルソングが流れ出し、軽快なメロディが四方にひろがっていった。

季節は秋に相当するらしく、草や木の葉が色づいたり、散りはじめたりしていた。博士はそれを眺めながら、つぶやいた。

「さて、どうやって、住民たちを集めたものだろうか」

「その心配は、いらないようです。住民たちのほうから、出かけて来ました。善良そうな連中です」

と、助手は指さした。狂暴そうなようすは少しもなく、武器らしいものも持っていない。それどころか、みな楽しげな表情をしている。

エヌ博士はそれをたしかめ、ドアから出た。そして、助手とともに手まね、身ぶり、そのほかあらゆる方法を使って、自分たちが地球という、べつな太陽系の惑星からやってきたことを、なんとか相手に知らせることができた。

「……というわけです。これからは、仲よく交際いたしましょう」

それに応じ、住民たちもこんな意味の答を伝えてきた。

「こちらこそ、よろしく。わたしたちはいま、収穫期が終ったところです。楽しくお祭りをしているところですが、ごいっしょにいかがですか」

博士と助手とは、顔をみあわせて、うれしそうに笑った。楽しげなムードの事情もわかった。それに、収穫が終った時期なら、商売には適当にちがいない。忙しい時に来あわせたら、相手にされないで帰らなければならなかったかもしれない。

「それはそれは……」

博士は勢いこんで、住民たちに商売の話を切り出した。

「……じつはわたしたちは、みなさまのお役に立つような、各種の品物を運んでまいりました。もし、お気に召すようなものがあれば、こんご大いに貿易をはじめるよう、わたしが取りはからってさしあげます」

博士は助手に命じ、船内を展示場として開放し、住民たちをなかに案内させた。

上等な服、便利な日用品、味のいいお菓子など。なかには、地球で流行おくれや生産過剰になっている品もまざっていた。だが、この星の住民たちの目には、すばらしい宝にうつったらしかった。彼らは目を丸くして見つめ、手でそっとさわり、おたがいに、ささやきあっていた。

「さあ。いかがでしょう。どの品も、地球で最高級のものばかりです」

と、博士は自信をえて、あいそよくすすめた。しかし、その反応は予期しないものだった。

住民たちは手を振り、いらないという意志を示したのだ。博士と助手は、ふしぎそうに話しあった。心から欲しそうなようすなのに、なぜ買わないのだろうか。しかし、その点は、住民たちに聞いてみなければわからないことだ。

「どうなさったのです。遠慮することはありませんよ。品質についてでしたら、わたしが責任を負います」

その答はこうだった。

「ええ。欲しいことは欲しいのですが、いまは買えません。来年にしましょう」

「来年ですって……。なにも一年ぐらい、たいしたちがいはないではありませんか」

「この星では、これから冬に入るのです。冬のあいだは使えませんから、来年の春にでもなったら……」

そんなことで追い返されるわけにはいかない。博士は熱意をこめて説明した。

「冬でも使えますとも。たとえば、この電気毛布はいかがでしょう。原子力電池で暖かくすごせます。また、冬の化粧品としては……」

だが、住民たちはやはり手を振った。

「わたしたちの星では、冬になると、みな冬眠に入るのです。ですから、そのあいだは、なにも必要ないのです」

「そうでしたか。地球にはそんな習慣がないため、気がつかなくて失礼しました。……しかし、春になってすぐお使いになれるよう、いまお買いになっておいては、いかがでしょう」

「じつは、そうしたい気持ちです。しかし、冬にそなえて、収穫物をすべて貯蔵してしまいました。代金としておはらいするために、それをまた引っぱり出すのは、たいへんな作業なのです」

博士はうなずき、助手と相談した。

「どうしたものだろう。良心的な住民たちのようだが」

「信用してもいいように思えます」

「わたしもそう思う。将来性のある星だし、こんな住民のいる星はめったにない。また、品物を持ち帰るのはつまらないことだ。まさか、代金をふみ倒して、星ごと逃げてしまうこともできまい」

「ええ。大戦争をやって、住民が自滅してしまうほど、まだ、ここの文明は高くないようです」

エヌ博士は、あらためて住民たちにこう提案した。

「では、品物はいまお渡ししておくことにしましょう。代金については、あとでもよろしいことにいたしましょう。来年の春になったら、またまいります。その時に、この星の特産物で払っていただければ、けっこうです」

「それだと助かります。来年の春でしたら、かならずお払いします」

住民たちは喜びの声をあげ、約束をした。うそや計略のにおいは、感じられなかった。目的ははたせたようだ。これだけはっきり話がまとまれば、スポンサーたちも満足してくれるだろう。博士は船内のすべての品物を渡した。

「では、また来年。こんどは、もっとたくさん運んできますよ」

「ぜひ、そうお願いします。わたしたちも、お待ちしています。ごきげんよう」

住民たちの別れのあいさつに送られて軽くなった宇宙船はふたたび空へ、さらに大気圏外の空間へと戻った。エヌ博士は、窓からふりかえりながら言った。

「いい連中だったな。来年に会うのが楽しみだ。……そうだ、いちおう、あの星の軌道を計算しておいてくれ。こんど訪れる場合に、時期がずれたら困る。早すぎて、冬眠から目ざめるのを待つのでは大変だ」

「はい」

助手は観測器具ととりくみ、その計算をはじめた。しかし、なかなか報告をしなかった。

「どうしたのだ。複雑なのか」

「複雑ではありませんが、あまりいい答ではないようです。着陸前に調べておくべきでした」

「いったい、問題点はどこにあるのだ」

「あの星の軌道は、細長い楕円《だえん》軌道です。わたしたちの太陽系における彗星《すいせい》のように、これからは太陽から遠ざかる一方です。暗い極寒のなかで、すべてが凍りつく状態に入ります。冬眠でもしなければ、どうにもしようがないでしょう」

「つまり、冬が長いというわけだな」

「そういう結論になりましょう」

「太陽のそばに戻って、春が訪れるまで、どれくらいかかるのだ」

「そうですね。地球の時間に換算しますと、ざっと五千年ほど……」

なぞの青年

都会のある一画。そのあたりには住宅がぎっしりとたてこみ、住宅でないところは道路で、自動車がたえまなく走っていた。したがって、そのへんの子供は遊ぶ場所がなく、日当りの悪いせまい部屋のなかで、だまってテレビをぼんやり眺めていなければならないのだった。

そこへ、ひとりの青年が現われた。地味な服装で、おとなしく、まじめそうだった。彼は通りの窓ごしに、子供に話しかけた。

「このへんには、きみたちの遊び場はないのかい」

「うん、ないんだよ。鬼ごっことか、かくれんぼとか、ナワとびとかを、ぼくたちはだれもやったことがないんだよ」

「かわいそうに。小さな公園でも、作ってもらえばいいのに」

「おとなの人たちだって、そう考えているよ。だけど、お役所に交渉してみたが、だめなんだって。土地が高いし、そんなお金の出どこがないんだってさ」

子供はあきらめきっているようだった。それに対して、青年は言った。

「よし。ぼくが作ってあげよう」

「本当なの。みんな、どんなに喜ぶだろうな。でも、そんなことが起るのは、テレビのなかのお話の場合だけじゃないのかな」

「いや、本当だとも」

うそではなかった。青年はどこからかお金を持ってきて土地を買い、地面をならし緑の木を植えた。ブランコや砂場もそなえつけ、安全設備もととのえた。そして、集ってきた子供たちに言った。

「これからは、ここはきみたちの世界だよ。いつまでも自由に遊べるんだよ」

「わあ、うれしい……」

子供たちは歓声をあげ、日光をあびながら思いきりとびはね、かけまわった。ついてきたおとなたちも感謝した。

「なんという、ありがたいことでしょう。お名前をお教え下さい。それを公園の名前とし、いつまでも忘れないようにします」

しかし、青年は少しも得意そうな表情をせず、手を振って、ひかえめな口調で言った。

「名前など、どうでもいいことです。当り前のことをしただけですから。みなさんに喜んでいただければ、それでいいんですよ。お忘れになって下さい」

だれかが写真をとろうとしたが、青年はいつのまにかいなくなっていた。みなは、奇跡をおこす魔法使いじゃないかなどと、話しあうのだった。

また、その青年は、身寄りのない老人のところへ現われたこともあった。

老人の一生は、働きつづけだった。若い時はよく働き貯金もできたのだが、それは物価の変動で消えてしまった。としをとった今では、食べてゆくだけがやっと、もうからだも弱っている。

「生きているあいだに、一回でいいから、ゆっくりと旅行をしてみたいものだ。しかし、それもむりな望みだな」

と悲しげに言いながら暮していた。そこへやってきた青年は、こう話しかけた。

「はい、これが旅行周遊券の切符のつづりです。こっちは、予約旅館の前払いをしたという領収書。これは、こづかいのお金です。お好きなように、楽しんでいらっしゃい」

当然のことながら、老人は信じかねるという表情だった。

「からかっていらっしゃるのでは、ないようだ。ありがたいことです。しかし、見知らぬあなたから、そのようなものをいただく筋合いは、ありません」

「とおっしゃっても、もう取り消すわけにはいきません。こうお考えになったら、どうでしょう。一生をまじめに働いたあなたには、せめて、それぐらいのことはなさる権利があるはずです」

老人は、涙ぐみながら喜んだ。

「そうですか。では、お言葉に甘えさせていただきましょう。ああ、夢のようだ。これで、思い残すことなく死ねます。あなたは、現代のキリストのようなおかただ……」

「とんでもありません。ただの平凡な人間ですよ。なすべきことを、したまでのことです。では、いいご旅行を……」

青年は、老人のくどい感謝の言葉がはじまる前に、静かに帰っていった。

そのほか、その青年はいろいろなところに現われた。

交通事故で死んだ人の遺族の家に現われ、お金を渡したこともあった。ひき逃げされたので、訴訟を起して金の請求をしようにも相手がわからず、生活に困っていた人たちだ。

海外に流出する寸前の、古い美術品を買い戻し、博物館に寄付して、だまって帰っていったこともあった。崩れかけ、早く手を打たないとだめになってしまう遺跡の、修理代を出したこともある。資金がゆきづまり、閉鎖する以外に方法のなくなった保育所や恵まれぬ人の施設に、そっと金を置いていったこともあった。このたぐいのことは、あげればいくらでもある。

青年の訪問を受けた人たちは、心からありがたがると同時に、あの人はどんな家のかたなのだろうと考える。大金持ちのお子さんなのだろうか。それとも……。その先は考えつかない。自分のことには金を使おうとせず、世の中のためにつくしている。えらい人だ。それにしても、よくお金がつづくものだと。

しかし、いつまでもつづくというわけには、いかなかった。やがて、その行為も終る時が来た。最初に気がついたのはその青年の上役、すなわち税務署長だった。彼は青年を呼びつけて言った。

「おい、きみ。きみをまじめな青年と信用し、金銭を扱う重要な地位につけた。それなのに、それを裏切り、気の遠くなるような額の使い込みをやった。なんということだ。いったい、どんなことに使ったのだ」

「じつは……」

青年は正直に答えた。署長はあきれて大声をあげた。

「けしからん、税金とは善良な国民が、政府を信頼して納めたものだ。それを議会にも官庁にも無断で、勝手にそんなばかげたことに使うとは……」

「いけませんでしたか」

「当り前だ。おまえは頭がおかしくなっているんだ」

「わたしが異常で、ほかの議員や公務員たちは、みな正気だとおっしゃるのですか」

しかし、署長は、そんなことに答えるどころではなかった。この不祥事の、処理をしなければならない。関係者は表ざたにするのをいやがり、むりやり青年を異常者にしたて、病院に送りこんでしまった。

最後の地球人

世界の人口は、限りない増加をつづけた。

「いったい、どこまでふえるんだ」

「これ以上ふえたら、どうなるんだろう」

「なんとかしなくては」

時どき思い出したように、議論がくり返された。しかし、子供を作るなとも言えず、生まれてきた者を始末するわけにもいかなかった。人間にはそれぞれ生きる権利があった。

だれもがこの現象を憂えていた。しかし、実行については「自分だけは別さ」といった調子で考えた。みなが同じ気分だったので、人口は決して減るけはいを示さなかった。

世界のいたるところが、都会となっていった。サハラやゴビの砂漠の緑化計画がやっと完了したころには、もうその森を切り倒し、そこに都会を建設しなければならなかった。

もはや、戦争をするどころではなかった。戦争は余裕のあった時代の、遊びのひとつとして思い出された。だが、戦争をしなくなっても、科学は進歩した。ふえつづける人間を整理するには、科学にたよらなければならないのだ。

人口がふえると、その生活を保障するために、科学を進めなければならない。しかし、科学が進むと生活が高まり、さらに人口がふえた。このいたちごっこをくり返し、人間たちは全能力をあげて人口増加との悲壮な戦いをつづけていた。一刻も休むわけにいかず、また、勝利の見とおしのない戦いだった。

食料は人工的に合成されるようになり、植物はいらなくなった。炭酸ガスを酸素にもどすことも機械的に行われるので、植物のありがたみは少なくなる一方だった。べつに植物がきらいになったのではない。植物を生育させる場所が、なくなっていったのだ。

動物や昆虫も、とうの昔に一掃された。食料が惜しいからではない。そんなものを、生かしておく場所がないのだった。チョウも花も、人間の生存のためには、身を引いてもらわなければならなかった。地球は人類のものなのだから。

科学の進歩は、副産物として、寿命をも伸ばした。これがまた、人口増加に拍車をかけた。地球が一回転するたびに、その表面の人口は雪だるまのようにふえていった。「百億を越えた」そして、まもなく「二百億を越えた」

とどまるところを知らなかった。世界は、ひとつの都会となった。人類は、完全に政治家も科学者も、ついにさじを投げた。どんな社会政策も宇宙移民も、この洪水《こうずい》を防ぎきれなかった。

「もうたくさんだ、助けてくれ……」

だれもかれも心の底でこう叫んだ。口に出して叫ぼうにも、だれにむかって叫んでみようもなかった。

全人類がはじめて、同じ反省と祈りを持つことのできた一瞬だった。

増加は止まった。そして、減りはじめた。調べてみると、一組の夫婦から一人しか子供が生まれなくなっていたのだ。学者たちは例によって、いろいろと理屈をつけた。

「各地の原子炉から出た放射能が、空中にたまったせいだろう」

「いや、人口がふえすぎると緊張がつづき、ストレスが起って、からだに影響を与えるものだ」

「いやいや、人類という種族の寿命がつきたのだろう」

「とんでもない。動植物を一掃したので、自然界とのバランスがくずれたのだ」

「ちょっと待ってくれ。人工食料ばかり食べていると、体質が変ってしまうといった考え方もあるぞ」

それぞれ自己の主張を通そうと躍起となり、どうすればいいかについては、なかなか一致しなかった。もっとも、少しぐらい減るのはけっこうじゃないか、といった気分がみなぎっていたので、なにも熱心に対策をたてる必要もなかった。

「サルでも進化させるんだな」

といった冗談をとばす者もいた。だが、サルばかりでなく、人間以外の動物はすでに絶滅していた。

いずれにせよ、戦いは終った。余裕がでてきた。世の中は少しずつ落ちついていった。両親は子供を、なによりもかわいがった。その一人っ子たちは、成長すると両親から財産をうけつぎ、何代かたつと、だれもが裕福になるのだった。みんなそれぞれ資本家や地主になった。

それに、かつてのように、わけもわからず働きつづけることもいらなかった。働く時間は少なくなった。大規模な生産設備は、ちょっと動かすだけでもあり余る商品を作り出し、大気圏外進出のための宇宙船を作る工場なども不要となった。

宇宙にでかけていた移民たちは、つぎつぎと引きあげてきた。

「ばかばかしい。地球で暮せるのに、宇宙であくせく働くことはないじゃないか」

「そうさ。人間には、地球が一番だよ」

遺産成金たちの乗った宇宙船は、地球めざして降りそそいだ。よほど運の悪くない限り、遺産成金になれた。だが、その運の悪い連中にも、子供に死なれた夫婦からの養子の口が待っていた。

依然として、一組の夫婦から一人しか子供が生まれなかった。原因については前より熱心に研究されたが、結論はどうしても得られなかった。

人類の滅亡。たしかに人類は滅亡への道を進んでいた。しかし、滅亡といっても、かつて人類がその発展期に自分勝手に想像し、自分勝手に恐怖したような、沈んだ暗い感じなど少しもなかった。青年のころに思い悩んだ死と、天寿をまっとうする前の老人の考える死との間には、ちがいがある。むしろ明るい楽しげな時代となった。

すべての生産は停止した。しかし、食料や電力は、滅亡までには充分ある。だれも働かなかった。働くことの意味がない。消費するだけの生活でも、道徳的にまちがいではなかった。人類の未来には、限度がある。このことを悟ると、考え方は一変した。

長いあいだ、人類は無限の発展を信じていた。そして、意識するしないにかかわらず、未来の子孫たちのために、より良い社会を残そうとして、すべての人があらゆる時代に働きつづけて来たのだった。その合計したら数え切れない過去の人びとは、いまとなってみると、この滅亡期の人間たちの、どれいだったのだ。

いまはみなが貴族となった。過去の膨大な人類にかしずかれ、その血みどろの努力の成果を味わうだけの生活をすればよかった。貴族だから、なんでも気のむくまま、したいことができた。

真の貴族は、金銭など問題にしない。ダイヤを山と積み、火をつけ、そのまわりで古い酒を浴びるように飲んで夜をすごす者もあった。あまり面白いことではないが、世界中を旅行してまわる者もいた。昔から大切に保存されてきた遺跡をぶちこわし、住む者のなくなった地方を見つけると、核兵器を飛行機から投げつけるといった、高価な遊びをつづけた。

古代の書物も、高度な科学の論文も、なにもかもいっしょに消えていった。だれも制止する者はない。学問など、いらないのだ。いい子孫を残そうという欲求からの恋愛、立身出世、未来をも支配しようとする権力争い、戦争。そんなことをあつかった物語や教訓は、過去のどれいたちの読むもので、貴族たちには無意味だった。また、どんな科学も、人間のいなくなる世界には無関係のものだった。

人びとは、なにものにも執着しない一生を送れた。冬が迫った秋晴れの日の空のような、かげのまったくない、透明な気分の人たちの暮していた時代だった。

地球上でいちばんいい地方。たった一軒だけ残った家の、すばらしい部屋に、若い夫婦が住んでいた。このほかには、どこをさがしても、人間はいなかった。彼らは世界の王と王妃だった。昔から多くの人間たちが望み、だれ一人として得られなかった地位。全世界と全人類の作り上げた財産の所有者と呼べた。もっとも、財産の方は、貴族たちによって大部分なくなってはいた。しかし、王と王妃は、そんなことをいっこうに気にしなかった。いばることもなく、残念がることもなかった。

王と王妃には、それぞれ名前はあったが、使われることがなかった。名前は「あなた」でも「おい」でも「ねえ」でも、なんでもよかった。

「ねえ、いいことに気がついたわ」

「なんだい」

「あたしたち、なにも、着物をつけている必要はないんじゃない」

そう言えばそうだった。べつに羞恥心《しゅうちしん》は起らなかった。世界はどこでも彼らの家だったし、他人はいないのだ。それに、彼らは生まれた時から、いや、生まれる前からの婚約者だった。

二人は服も下着もぬぎすて、はだかのまま毎日を過した。すべてに面倒くさくないだけが、とりえだった。はだかになった二人の皮膚の色は、なんとも形容しようのない色だった。白でもあり黒でもあり、褐色《かっしょく》や黄色味もおびていた。瞳《ひとみ》も髪も同じことだった。彼らはどの人種にも属していたのだ。人口が減りはじめて以後、混血が行われるようになったからだった。

比較するものがないので、美しいといえるかどうかはわからなかったが、おたがいに美しいと認めあっていた。口に出してたしかめなくても、完全に信じあい愛しあっていた。嫉妬《しっと》を抱いたこともなかった。人類はじまって以来、だれもが理想としてきた、絶対的な愛の姿といえた。

そして、彼女は子供を宿した。

「最後の子供ね」

「男の子だろうか、女の子だろうか」

「名前を考えておきましょうよ」

しかし、あれこれ迷っているうちに、二人は顔を見合わせて笑った。名前の必要はなかった。

出産の日が近づいた。彼女は部屋に入った。そこには、分娩《ぶんべん》にも使える自動式の万能医療装置の一台が、人類最後の一人の誕生のために残されていたのだ。

難産のため、出産は長びいた。男は落ち着かぬ気分で待った。機械にまかせて、見まもる以外にないのだった。

ランプが美しく点滅し、出産は完了した。赤ん坊はただちに、プラスチック製の保育器のなかへと自動的に運ばれていった。だが、妻のほうは、すっかり弱っていた。機械は危険を示す赤いランプを明滅させながら、万全の手当をいそがしくつづけた。しかし、彼女はますます衰弱してゆくばかりだった。

彼女は保育器の上で光る青ランプにより、子供は無事であることを知って言った。

「子供のことをお願いするわ」

彼のうなずくのを見て、安らかに息を引きとった。夫に先立つ妻の死にぎわとして、こんな安らかなものはなかった。夫はだれとも再婚せず、妻の思い出だけを抱いて、子供を育てつづけてくれるだろう。

しかし、男にとっては、まったく反対だった。文字通りのかけがえのない妻だったから。長いあいだ、彼は妻のなきがらにすがりついて泣きつづけた。そして、泣きつかれて眠った。

彼の眠っているあいだにも、医療装置は動きつづけた。それには、死後一定時間たつと、自動的に処理してしまう装置もついていた。彼はそれを止めておくのを忘れていたため、機械は妻の死体を完全に分解し終った。

彼が目をさました時、そこには小さな杭《くい》のような、一端のとがった骨が一本残されているだけだった。このとがったほうを、墓地ドームの床にさせば墓となる。かつてあまりに人口のふえすぎた時代、墓地に使う地面を節約するため、こんな方法が採用された。そんなころに作られた機械だったので、彼が目をさました時には、すべてが手おくれとなっていた。

彼はその骨をだきしめ、前より激しく泣きつづけた。妻のなきがらを防腐したまま、彼の死ぬ時まで残しておきたかった。しかし、もうどうにもならない。だれも味わったことのない、大きな別離の悲しみだった。

彼は骨を抱き、ふらふらと外に歩み出た。悲しみを打ち明ける相手もなく、なぐさめてくれる相手もなかった。ラジオもテレビもなく、心を安らかにする音楽も流れていず、静寂の世界だった。子供が成長し、保育器から出せるようになり、話し相手になってくれるまでは。

男は、聞く者のあるはずがないのに大声でわめき、目に涙をあふれさせ、力をこめて骨を胸にだきしめ、夢中でかけまわった。

その時だった。彼はつまずき足が乱れ、前に倒れた。骨のとがった一端が、はだかの胸に深くつきささり、血が激しく流れ出した。

男は起きあがれず、骨はなかなか抜けなかった。子供をあのままにしては死ねない。はいながら治療装置にたどりつこうと、彼はもがいた。しかし、血は流れつづけ、ついに力がつきた。

雨が降り、日が照り、風が吹き、男の死体はいつのまにか風化し、飛びちった。


地球は、その表面の出来事にはおかまいなく回りつづけた。

薄暗い保育器のなかの赤ん坊は、静かに成長をつづけていった。世界には、ほかに成長をつづけるものはなかった。外部から指示を与える者はなくても、保育器は赤ん坊のため、温度を調節し空気を流通させ、栄養と適当な運動を与えるのだった。

赤ん坊は男でも女でもなかった。一人しかない人間にとって、一つしかない生物にとって、性の区別など意味がなかった。赤ん坊は、しだいに育った。手足を動かしても、触れるものは、弾力のある柔かいプラスチックの覆《おお》いだけだった。そして、薄暗さだけが、そのなかにみちていた。

なんとなく薄暗いな。明るさというものをまったく知らなかったが、もっと明るくていいはずだと思った。しかし、外から保育器をあけてくれる者はいないのだ。保育器のなかで成長したものが抱いた最初の意識は、ここは薄暗いということだった。そして、その感じはしだいに高まり、その絶頂で衝動は思わず声となって出た。

「光あれ」

保育器はこわれた。そこからはい出し、ひろい空間のあることを知った。

この空間にむかって、なにかをしなくてはいけないのだな、と思った。だれに教えられたわけでもなかったが、そのやるべきことの全部を知っているような気がした。また、それが必ずできるという自信もあった。

あとがき

これは自選短編集。新潮社発行の『人造美人』と『ようこそ地球さん』収録のものを主に、そのほか新潮社以外の出版社より発行されている短編集の作品のなかから選んで加え、五十編をまとめたというわけである。特徴のひとつは初期の作品が多いという点。そのため私にとって愛着の深いものばかりで、どれも執筆当時の苦心や満足感を思い出させられた。本来、私は執筆についてのその種の回想をしない性格なのだが。

もうひとつの特徴は、短い作品を多く収録してあるという点。いわゆるショートショートである。短い小説という型式のなかに、私は運命的にひきずりこまれた。あるいは私のほうから進んでふみこんだ。はたしてどちらなのか私にもわからないし、おそらく一生わからないことかもしれない。短い作品を書くことで、私はひけめを感じたこともないし、とくいに思ったこともないのである。

さらに特徴をもうひとつあげるとすれば、作品のバラエティを多くするよう心がけた。ミステリー的なものもあり、SF的なものもある。ファンタジーもあれば、寓話《ぐうわ》がかったものもあり、童話めいたものもある。いずれも私が関心を抱いている分野である。だからこの一冊は、私、星新一というあやしげな作家そのものを、ショートショートに仕上げた形だといえるかもしれない。

昭和四十六年三月

星　新　一

解説

筒《つつ》井《い》康《やす》隆《たか》

人間への深い理解、そしてストイシズム、このふたつの点で星新一は、正統派ハードボイルドの主人公たちを、はるかに超越してしまった。

傷つきやすいハートを持つ星新一は、彼自身の最も恐れる複雑な人間関係の醜悪さを、そのストイシズムによって彼の文学から締め出そうとする。一方実生活の上では、他人を傷つけることのない自己の完成へ向っている。もし星新一によって傷つけられた人間がいるなら、それはよほどの悪人であろう。星新一は、しばしば他人からひどく傷つけられる人間は、意識せずして他人をひどく傷つけている存在であるということを、むろん知っているのだ。ここにおいて星新一は、信念という一元的な武装しかしていないハードボイルドの主人公たちを追い越してしまったのである。

複雑な人間関係や傷つけあいに対する星新一の武装は、筆の安易なすべりを避けるためのストイックなほどの自己規制と、人間へのより深い理解であった。それはまた彼独特のノミナリズムによる人間社会への理解でもある。時にはそうした理解が容易に残酷さを超《こ》え、人間に対する冷たさともなり得よう。たとえば初期の作品『鏡』などに見られるなまなましい残酷さは最近では影をひそめ、同系統の作品『コビト』の残酷さになってくると、これはもう非常に客観的で淡白である。しかし『蛍《ほたる》』や『さまよう犬』などの作品に見られる彼の感傷性と愛情は、そういった冷たさをやわらげてあり余るものがあるし、『月の光』では彼の中にある理解と愛情の相関関係が図式的に示されてさえいる。たとえ星新一がどこまで完全に人間を理解しようと、絶対に人間に無関心になれないのは、でっちあげのヒューマニズム理論によるものではない、本能的ともいえる人間への底知れぬ愛情のためであろう。

昭和四十二年、星新一は長編第三作『人民は弱し官吏は強し』を出した。これには彼の亡父星一《はじめ》が当時の官庁からさまざまな迫害を受けた様子が描かれている。これについて星新一は、「冷静に筆を進めたつもりだが、書いている途中私はむかついてならなかった。民間をいじめる気になれば、こうまで徹底的にやれるという見本である」と、書いている。だが、その文の最後には、こうも述べているのだ。「考えてみれば、官吏をこう仕上げたのも、官庁の目をごまかして不当なうまい汁《しる》を吸おうという人がいるからでもある。トリと卵のようなものだ」(『きまぐれ博物誌』「官吏学」)

読者が彼の作品から受ける一種の透明感は、こうした彼の対象への多元的な姿勢がもたらすものであろうが、一方でこれは彼の文学から、日本人の喜ぶ怨念《おんねん》やのぞき趣味や、現代との密着感やなま臭さや、攻撃性が持つナマの迫力などを奪ってしまった。攻撃的な性格の持主が多い日本の批評家にとって、こういった星新一の作品がたいへん評価しにくいものであるだろうことはよくわかるが、しばしばあまりにも的はずれな批評にぶつかることがある。星新一の作品の寓話《ぐうわ》的な超現代性を、彼が蒐集《しゅうしゅう》している「孤島マンガ」「死刑マンガ」などの外国の一齣《こま》漫画の超時代性と結びつけて、だからこそ彼は、日本人には理解できぬ欧米的ユーモア感覚を持った作家なのであると断じたりするのは性急すぎる。たとえば『暑さ』『不眠症』などの作品は川柳《せんりゅう》、落語的発想の所産であろうし、彼の二冊のエッセイ集『きまぐれ星のメモ』（四十三年）『きまぐれ博物誌』（四十六年）を読めば彼の俳句講談その他への造詣《ぞうけい》の深さが知れる。星新一のある部分が古い日本人の中にあったユーモア感覚と密接に関係していることも、また確かである。

ついでながら、彼のエッセイの中にしばしば登場する古きよき時代へのノスタルジアは、彼の小説からはあまりうかがうことができない。帰納的に普遍化される彼の小説中のセンチメンタリズムからは、個人的なノスタルジアもまた、除かれなければならないもののひとつなのだろう。星新一の作品に、安易な感傷に溺《おぼ》れぬ俳句の精神が生きている所以《ゆえん》である。

しかし、だからといって最近の星新一に、東洋的原思想家の肩書きをあたえるのもいささか疑問に思えるのである。この評価はわれわれ読者に、星新一の内面世界へのそれ以上の追求と可能性の穿鑿《せんさく》をあきらめさせるものである。原思想家的な強さを持とうとして持てない星新一のやさしさと、世俗的なものへの未練は、彼の中編集『ほら男爵《だんしゃく》現代の冒険』(四十五年)に見出《みいだ》すことができ、それこそがこの作品に彼の他の作品群からは得られぬ熱っぽさとバイタリティをあたえているのである。

星新一の最近作が大きく変化しはじめていることは事実であり、それは彼の作品を批評する人たちも指摘しているようである。ただしそれは単なる「価値の相対化」だけではなく、また、「初期の作品にはラストの一行に価値転換によるテーマを集約させていたが、最近作では最初からテーマが出てくる」などというだけの単純な変化でもない。価値の相対化にしろ、テーマを物語の発端に持ってくることにしろ、そんなことは星新一が最初から彼の作品のごく一部で意図していたことであって、現在の彼がやっている作業はさらに複雑で精緻《せいち》になっている。

こと小説に関しては、たとえそれがエンターテインメントであっても、作家の世界観を重要視しすぎる嫌《きら》いのある日本の読者が、複雑な技巧を面白《おもしろ》がって分析する作業に不向きなのはよくわかるが、この程度の理解力では星新一の内部世界に一歩も踏みこんでいない。現在の星新一を少しでも理解しようとするなら、彼がその巨大な頭脳の中に記憶し納めている対立概念のアイデア、視点のアイデア、プロットのアイデア、ギャグのアイデア、ナンセンスのアイデアなどの、それぞれ数十、数百に及ぶパターンのせめて十分の一なりと知っていなければならない。（これらの組合せの数を計算することは、常人には無理である）星新一の世界観はこれらのものと分離不可能なのである。価値の相対化は視点のアイデアのうちのほんの一例に過ぎず、テーマを物語の発端に持ってくるのはプロットのアイデアのほんの一例であろう。

ぼくにしてからが、星新一の持つ大量のアイデアを予想できるだけであって、これから先、星新一がどんなアイデアを生み出して見せるかは全くわからない。よく言われる酒席における星新一の軽妙な馬鹿話《ばかばなし》も、これら厖大《ぼうだい》な量の知識の不断のせめぎ合いから起る噴出物であって、少なくともぼくにはそれらのものが単に口をついて出ただけの洒落《しゃれ》や地口《じぐち》やことば遊びではないといいきれるだけの自負がある。仮にそれが洒落、地口、ことば遊びであったにしろ、それは他人に真似《まね》ることのできない新しいパターンの組合せによる感覚である。それが理解できるほんの二、三人の中にぼくも含まれていることを、ぼくは誇りに思うのである。（ほんとは、ぼく以外の誰にわかるかといいたいところだが、そうはいわない。いやらしくなるからである）

これらのことは、星新一がユーモア論というものをまったく信用していないことからも推察できる。「たとえ何十冊のユーモア論を読んでも、それによっていいユーモア小説を生み出すことは不可能である」という議論を彼が戦わせているのを、ぼくは一、二度目撃している。星新一は苔のはえたパターンをせいぜいふた桁程度にしか分類していないユーモア論など、とっくに超えているのである。

視点のアイデアひとつにしても、価値の相対化かと思っていると突然第三、第四の価値づけを試みたり（それがまた、全部ダメというアイデアもある）、価値転換を三段、四段とくり返したり、作中人物の視点を読者の方へ持ってきたり（作中人物以外の全人類というパターンにも通じる）、時には作者自身の眼になったり（神、宇宙人というパターンの発展したもの）する。数えあげればきりがない。技術批評をいやしむ批評家は、こと星新一の作品に関しては敬遠した方が無難であろう。

最後にひとこと私事を述べさせていただく。先輩として星新一、小松左京の二巨人を持てたことは、ぼくの大きな幸運であった。軽薄さにまかせて筆がすべった時、星新一からあたえられたストイシズムがぼくを救い、鬱病にとりつかれて書けなくなったぼくを救うのが小松左京のバイタリティなのである。むろんこれは表面的なことだけであり、作品の上での影響は自分でも計り知れぬほどである。
以上、作家論などとはゆめ評価できぬとりとめのない文章になってしまったが、ぼくにはじめて作家論を書く機会をあたえてくださった星新一氏のやさしさと、新潮社のご好意に厚く感謝する次第である。

（昭和四十六年三月、作家）

ボッコちゃん

新潮文庫　ほ-4-1

昭和四十六年五月二十五日　発行
平成二十四年二月十五日　百刷改版
令和五年十一月十日　百三十一刷

著者　星《ほし》新《しん》一《いち》

発行者　佐藤隆信

発行所　株式会社　新潮社

郵便番号　一六二―八七一一
東京都新宿区矢来町七一
電話　編集部(〇三)三二六六―五四四〇
　　　読者係(〇三)三二六六―五一一一
https://www.shinchosha.co.jp

価格はカバーに表示してあります。

乱丁・落丁本は、ご面倒ですが小社読者係宛ご送付ください。送料小社負担にてお取替えいたします。

印刷・株式会社光邦　製本・株式会社大進堂

ISBN978-4-10-109801-2 C0193